打造理想人生的
ACTION
行動力子彈筆記

從時間管理到目標實踐，
只要認真使用，改變就會發生

把書吃了！米雪（楊惟如） 著

謹將此書獻給一路以來，總是默默在背後
支持著我的家人、奕舞爸媽，以及我所有的粉絲。

目錄 CONTENTS

好評推薦

「這是一本兼具操作心態和實踐方法的詳細指南。同樣身為重度子彈筆記使用者的我，仍然能從這本書中學到很多寶貴的經驗。」

——瓦基，「閱讀前哨站」站長

前言
大家對於「行動力」的誤解

　　通常人們覺得最有希望的時候，大概就是跨新年或每個月的月初，意味著全新的開始，過去如何都沒關係，可以自我重置與歸零。接著，我們會感到熱血沸騰、充滿拚勁，把所有在今年想完成的事統統寫下來。非常好！但然後呢？就沒然後了……

　　不對，其實有然後，那就是過了半年後，幾乎任何事都沒完成，連個影子都沒看到，便開始對自己感到失望：「我明明都有把要完成的事寫下來，也都設定好目標了，為什麼自己的執行力這麼差？為什麼我總是沒辦法做出行動？我好差勁……」

　　如果這是你過去一直以來反覆遇到的狀況（不論是生活上或工作上），也有心想要改變一切，但不知道該從何做起，那麼恭喜！你絕對可以在這本書找到你要的答案。身邊的朋友和我的粉絲們，最常跟我說的話就是：「到底為什麼妳可以這麼有行動力？」「為什麼妳可以說做就做？」「究竟要

怎麼培養自己的行動力？」甚至還有人跟我說：「我願意用任何東西跟妳交換妳的行動力！」

我發現，大家普遍會認為付諸「行動」非常困難，也有人會覺得自己天生就不是行動派。但其實，我們都誤解了「行動力」，具備行動力的特質，不是與生俱來。**我們之所以沒辦法做出行動，絕對不是因為缺乏「行動力」，而是缺一個「完整的執行計畫」。**

當我們只是把目標寫下來，而沒有下一步的目標規劃，當然不會平白無故自己實現，沒有規劃，哪來的完成？因為不知道具體上該怎麼做、怎麼開始，當然也就沒有後續的行動了。

一個完整的執行計畫，必須包含：後續該怎麼進行、該從哪些方向規劃、具體該做哪些事、每一步各自執行的順序是什麼、各自的執行時間是什麼時候、何時要完成哪些事、整個目標的執行進度表長怎樣……

一旦有了一步一步細心規劃的完整執行計畫，那後續的「行動」其實只是整個過程中自然產生的結果。想像一下，當我們已經知道做 A，再做 B，接著做 C，然後做 D，就會得到一個很想要的 E 結果，這時我們會不會做

A → B → C → D？當然會，因為我們很想要得到 E 的結果。所以難的不是「行動」這件事，難的是要如何「規劃」一整套執行計畫，也就是我們的 A → B → C → D。

那麼，要產出這樣完整的執行計畫，我們採取什麼「策略」就非常重要。

所有目標執行的結果，都與我們的「策略」有關，不只是一點點，而是有著緊密的關聯。做任何一件事，不管是小目標或大夢想，如果沒有策略，只是隨意思考、隨意行動，最後只會得到隨意的結果。

一個好的策略，必須包含三個關鍵元素：

- 有效的方法──達到目的的過程與步驟
- 強大的工具──輔助我們思考、規劃、產出計畫、執行的關鍵工具
- 我們的行動──自然產生的結果

要規劃出一套完整的執行計畫，需要一個好策略
而一個好的策略＝有效的方法＋強大的工具＋行動

　　一旦具備這三個關鍵元素，目標與成就的達成，就會是我們可以預期的結果。而這三個元素，就是「Action 行動力子彈筆記術」要帶給讀者的核心價值。

　　讀者只需要一本「Action 行動力子彈筆記本」就可以把這個強大的規劃工具、這套有效的方法，還有隨著使用該工具與學習此方法後，所自然產生的行動力，全部打包帶著走。除了目標的實踐，還有日常生活上的管理與工作方面的規劃，也都可以透過 Action 一次做到位。

　　至於該如何使用這個工具及學習這套方法？別擔心，這本書不只是講大道理，不會只叫讀者自己想辦法摸索。我將會藉由這本書，告訴大家，我是如何有策略地規劃出一套完整的執行計畫，並且毫無保留地完整介紹這套「策略」、「方法」和「工具」。除此之外，我也會穿插深刻的故事，讓大家可以從最有共鳴的真實經驗中，學習本書的內容，讓這本書不只有生硬的實用知識，而是看完本書後，還能燃起內心的熱血。

　　我知道大家在過去，這種燃起心中小火苗後又熄滅的經驗已經太多太多了，但這一次，或許會不一樣，因為這次，我們將具備所有完成目標所需的關鍵元素（策略、方法、工

具），所以這次燃起的火苗會不會熄滅，我們有絕對的掌控
權與決定權。

第 1 章

我的祕密武器，
是驚人的行動力

01　普通上班族如何
　　兼顧正職與副業

在介紹我怎麼使用子彈筆記之前，我想先從我個人的故事說起。

跟大家一樣，我也是一個普通的上班族，不是來自富人家庭，也沒有厲害的人脈，拿著私立大學的畢業證書（東海大學外文系，我很愛我的學校），在 23 歲踏入職場後，自己北漂到台北，找了人生的第一份工作，領著月薪 33K，我的起跑點跟大部分的人一樣。

每個月薪水 33,000 元扣完勞健保，只剩 31,000 元，一個人在台北租房子生活，要非常節儉才能把一個月的花費控制在 30,000 元，那時為了省錢，第一個月的晚餐，都吃八方雲集的乾麵。

雖然我的起跑點很不起眼，但我一點也沒小看自己。

前文提到，我就讀東海大學外文系，非常熱愛英文，但在高中以前，英文科目一直是我的致命弱點。直到國三時，每個星期媽媽開車載我，從高雄到台南，為了讓我去上 Gina 老師的英文家教課，當時我的英文實在太差了，每次老師都教到很崩潰，我也很崩潰。經過痛苦的一年，上了高中後，我的英文才正式從致命弱點，轉變成我最拿手的科目。

我一輩子感謝 Gina，也因為這樣的經歷，讓我在當下就決定，未來也要成為一位能夠拯救別人英文的英文家教。

後來，我也實現了當時的諾言，在大二時，我便展開了我的英文家教之路。我會利用沒有課堂的時段，教社會人士英文。因為上課使用全自編教材，上課的內容更是一套由自己從零開始打造設計的英文口說訓練課程，加上自己過去英文非常差的真實經驗，所以身為老師的我，非常清楚課程要怎麼設計、要使用怎樣的訓練方法，才能真正有效，也知道要怎麼教，才能把學生教好（過去的缺點後來竟變成養分），因此在口耳相傳下，每次招生下就額滿。從那時候開始，英文家教就成為了我的另一個身分認同。

　　回到前面所說，雖然我出社會的起跑點很不起眼，但我一點也沒小看自己，我知道不能讓自己一直處於無法儲蓄的狀態，所以在深思熟慮之後，我便決定了要在往後上班的日子裡，延續我英文家教的身分，作為我的副業。

　　跟身邊的人說我的想法後，大家都覺得我痴人說夢：「一整天上班累都累死了，下班怎麼可能有心力再去教社會人士英文口說。」

　　上了一整天的班確實很累，但只要有強大的動機，哪有什麼是不可能的。

　　我想做這件事的動機很強烈，有四項：

1. 我對英文有無法耗盡的熱忱
2. 我希望自己可以繼續優化改良，這套我設計的英文口說訓練課程
3. 我希望可以延續我身為英文家教的身分，拯救更多有心想學英文的人的英文能力
4. 我需要存錢

　　因此，在下定決心之後，我便展開平日下班後上家教的

生活。我利用假日的時間備課和優化課程，平日晚上則拿來上課，如果遇到臨時加班怎麼辦？那還不簡單，就跟學生調課，改到週間的其他天，或是改到假日上課都行，只要有心要做一件事，自己總會找到解決辦法。

出社會後，我開始我的儲蓄之路，從起初月存 20,000元，在存了半年之後，我陸續換了好幾份工作，而隨著薪水越來越高，我也漸漸把儲蓄金額提高到月存 30,000 元、月存 50,000 元。在我即將 26 歲時，已經存到人生的第一個 100 萬元。

存到 100 萬元容易嗎？其實，一點都不容易，平常要上班、下班上家教，假日還要備課、優化課程，同時還要控制各種花費，非常累人！

很多人問我怎麼做到的？普通上班族要兼顧正職與副業，這件事有沒有可能？當然有可能。關鍵是什麼？為什麼有些人做得到，有些人卻沒辦法？

我想，關鍵就在於，自己願意做多少犧牲。

比如說，自己願意犧牲下班後的休息時間嗎？還是願意犧牲假日的玩樂時間呢？願意為這件事做到怎樣的程度呢？

在此強調，我並沒有鼓勵這樣的行為，也沒有說怎樣做是對是錯、是好是壞，只是在告訴大家一個不爭的事實：

每個人都會遇到困難，也都有著自己的難題，但每一件事情的結果長成什麼樣子，都是我們自己選擇出來的。

我願意犧牲，都是自己的選擇，「實現我想做的事比我的休息時間還要重要，並且在每次累得想要放棄時，選擇不放棄，每天持續做。」這是我自己所做出的抉擇，雖然這樣的日子讓我每天精疲力盡，但也因為這樣的抉擇，所以我得到了這樣的結果：存款 100 萬元、課程內容也更厲害、出社會後繼續維持我的英文水準、與自己熱愛的英文為伴。

我會後悔一出社會就把日子過得那麼辛苦嗎？其實一點也不。

那個 23 歲在台北租房領著 33K 每天吃著八方雲集乾麵的那個人，到 26 歲時就再也不需要為錢所困，甚至還獲得了生活的絕對掌控權。所以我一點也不後悔，我真心感謝每一次做出如此艱難抉擇的自己。

身為一個再普通不過的上班族，即使起跑點跟一般人一樣都是從 0 開始，我也一點都沒小看自己，所以我也希望每個人都不要小看自己！

02 創立「把書吃了！」意外開啟自媒體經營之路

　　我是一個熱愛閱讀的人，2021 年我讀了《複利效應》（*The Compound Effect*），這本書的內容是，當我們選擇做某一種行為，並且經常重複，就會變成一種習慣，而當我們長時間維持這個習慣，更會開始產生一種複利的效應，而這樣的複利效應，將直接影響最終的結果，也可以說，會直接影響我們的成敗。

　　當時，看完這本書，我內心非常震撼，有種當頭棒喝的感覺，而且充滿了能量！這樣的概念不斷在我腦海徘徊，我知道我得趕緊做些什麼才行。加上我自己有一個閱讀的規則，那就是每看完一本書，只要是被我認定的好書，我就會從書中所學，選擇一件事在生活中實踐。

　　因此讀完那本書之後，我便開始思考，我要重複什麼行

為，讓它變成習慣，並且長期維持這個習慣，讓它產生複利效應呢？我想了想，就是「閱讀」。既然光讀一本書就能夠帶給我這麼大的震撼教育，那我絕對渴望更多藉由閱讀帶來的影響力，所以我便決定我要讓閱讀這件事產生複利效應。不僅如此，我還希望自己能夠把這樣的影響力帶給更多人。

於是在 2021 年，我告訴自己要做三件事：

1.　讓閱讀複利
2.　當個能夠提供價值給別人的人，成為有影響力的人
3.　傳遞閱讀實踐的理念

為了能夠一次實現三件事，我成立了 IG 粉專「把書吃了！」（@eat_the_book_）。在正職與副業以外的時間，我開始不停閱讀，讀到值得推薦的好書，就介紹給大家，看到值得學習的內容，我就做重點整理的貼文，帶著粉絲一起學習（粉專主要介紹的書籍類型為：商業書、工具書）。同時，我也會在內文中，時常分享自己是如何實踐書中所學的真實故事（真的是一次實現三件事）。

從起初介紹的第 1 本書，0 個粉絲，慢慢地一步步到現

在的第五十幾本書，4 萬粉絲，而且未完待續。

　　竟然幾句話就交代完經營粉專兩年的事，表面上看起來好像很風光，但這一路非常不容易。

☑ 產出一篇貼文背後的祕辛

　　光要製作一篇貼文，就已經很不輕鬆了。

　　第一步：我要想辦法在正職與副業的時間之外，把一本書看完，所以任何瑣碎時間，我幾乎都在閱讀，像是出門時一定會隨身攜帶一本書，等高鐵時、搭高鐵時、看醫生等叫號時、吃飯等位子時、等看電影時、出遊在飯店等入住時……任何等待時間，我會乖乖把書拿出來看。這些瑣碎時間，有時候一等就是一小時，我拿來閱讀而不是滑手機，是多麼棒的事。除了瑣碎時間，我自己也有固定的閱讀時間，像是睡前的半小時，我都會閱讀，還可以助眠（但有時內容太精采，反而越看越起勁），還有假日的時間。平常喜歡從事的休閒活動，就是到山上野營野炊或爬爬百岳，如果假日沒有安排戶外行程，我就會待在家或是到咖啡廳閱讀，一整

天都不是問題。

　　把一本書看完了之後的第二步：我會把所有我在書中用螢光筆畫起來的地方，逐字打到 Notion 裡。這也是我最討厭的步驟，因為非常花時間。我猜經營閱讀帳的人，大概沒幾個人會像我一樣，用如此浪費時間的方式做重點整理，雖然我也覺得這樣的做法太耗時，但每個人的習慣不同，我是一個高度依賴「視覺化」的人，所以我必須要一眼就能夠瀏覽所有我畫起來的地方，我才有辦法進行下一步。

　　完成整理重點的第三步：根據所有我整理在 Notion 上的內容，決定這本書是否值得推薦給粉絲，並且製作重點整理貼文。若內容的價值太少，這本書就會被我過濾掉，所以前面為這本書閱讀和打字的時間，等於有點浪費。但若是值得推薦給大家的好書，我會根據 Notion 上的內容開始構思，並決定我要做哪些主題的精華重點貼文。

　　或許有人會想問，難道不能在看完書的當下，就決定這本書值不值得推薦嗎？有時候看完一本書，如果前後時間拖得比較長，有很多內容會忘記，每一本書都是作者花非常多時間撰寫，我不希望輕易就把一本書過濾掉，所以我一定會經過第二步的重點視覺化後，才會決定這本書的去留。

　　決定好要推薦一本書的第四步：把所有整理在 Notion 的內容，重新排列組合。由於已經大概知道自己要為這本書製作怎樣主題的貼文，因此在這個步驟我會根據貼文的主題，把內容的排序與架構打掉，重新產出。

　　新的內容架構產出後，接著第五步：就可以開始製作貼文！下好貼文的標題後，就是要把在第四步重新產出的內容，去蕪存菁，然後把這些最精華的重點內容，想辦法塞進一篇 9 張圖（不含封面）的 IG 貼文。

　　這個步驟是最困難的一步，但也最好玩、最有挑戰！因為去蕪存菁，這件事本身就是一項專業技能，還需要運用到邏輯思考。我對於自己產出的貼文的品質，有著極高的要求，所以有時會花上一整天的假日時間，只為產出一篇貼文，都是常有的事。

　　貼文製作完畢後，還沒結束，第六步：撰寫貼文的文案。文案內容通常是我為這本書撰寫的書籍介紹，除此之外，如同前文所述，我也會在文中分享自己如何實踐書中所學的真實故事，因為閱讀書籍是一回事，能不能實踐書中所學，又完全另一回事。所以我盡量在貼文，分享自己學以致用的經驗，讓粉絲也能夠一起學習如何運用書中的知識與價值。當

然，不見得大家都想看長文，但我知道只要我認真寫，有需要的人也會認真看，這樣就夠了。

最後一步：把每本書的介紹與重點，全部整理到「把書吃了！」的部落格。我在自己架設的官網裡，有一個頁面是專門收納所有我介紹過的好書，每一篇文章就是一本書的介紹和重點整理。很多粉絲都會把這一頁加入我的最愛書籤裡，有空時就會來逛一逛、補補腦，或是想找書籍來閱讀時，也會從這份書單挑選，因為粉絲都知道，我推薦的每一本書，絕無雷書。

製作一篇貼文竟然要下如此大的功夫，但也因為如此用心產出，才得以讓每一篇貼文都維持高品質，而這也可以回答粉絲經常問我的問題：「為什麼『把書吃了！』的貼文可以把書籍重點整理得那麼好？怎麼產出一篇貼文的？有一個 SOP 嗎？」也因為這樣嚴格選書，每一本推薦的書籍，真的都是值得花時間細細品味的好書。

不管是嚴格選書也好，用心產出也好，這些都是基石，讓粉絲願意追蹤「把書吃了！」，也願意信任我。

☑ 應該賺了不少錢吧？

朋友看我把自媒體經營得還不錯，也知道出版社時常會寄書給我，希望我可以推薦書給粉絲，因此他們都會問我說：「妳經營 IG 應該賺不少錢吧？」我都老實回答：「沒有耶！要賺什麼錢？」對方就一臉吃驚：「妳都沒收錢嗎？那妳幹麼花那麼多時間跟心力做貼文？」

對呀，為什麼？其實，不是每一個行為背後的驅動力，都只為了賺錢或為了獲得利益，才算合理。這一路走來，我收到很多粉絲的私訊，表達感謝有這個粉專，讓超不愛看書的他，也能跟著粉專一起從書中學習實用的知識與價值，或是他看了粉專介紹的書之後，受到啟發，真的很謝謝粉專的推薦，甚至也有人說，因為一路看「把書吃了！」的分享，不管是書籍、經驗或故事，竟讓他也開始養成了閱讀習慣。

若經營這個粉專能因此替自己帶來額外收入，當然是很棒的事，但我從來就沒有把目標放在營利，因為這些我親眼看到的改變與影響力，才是真正讓我願意投入那麼多時間、心力和堅持的原因。

03 不用自己畫的
子彈筆記本

　　2021 年，我開始經營 IG 粉專「把書吃了！」。半年後，我讀了《子彈思考整理術》（*The Bullet Journal Method*）這本書，作者瑞德・卡洛（Ryder Carroll）從小被診斷出患有注意力缺失症（ADD），也就是沒有能力控制自己的注意力，因此他花了非常多的時間、嘗試了許多方法，想要克服這件事，最後他靠著自己獨創的子彈筆記，成功解決了這個問題，也因此有了子彈筆記的問世。

　　子彈筆記，其實就是一個筆記系統，能夠同時記錄與管理自己年、月、日的時程表。它會在每一個清單之間建立連結，可以清楚看到「過去、現在、未來」的自己，時間都花在哪裡？自己是否有把注意力放在最重要的事上？當自己的專注力分散時，能夠快速意識到，進而做出改善與調整。

而子彈筆記最大特色是，每個人都可以用任何一本空白筆記本，畫出屬於自己的子彈筆記模板，因此沒有固定的形式。

根據前面章節的內容，大家可以想像一下，一個白天有全職工作的人，晚上還要上家教，在這些時間之外，還要備課、優化課程、經營 IG、看書、介紹書籍、重點整理、製作貼文……長時間下來，當時的我，生活已經失控，每天的我就是被這些龐大的工作量追著跑，能做一件是一件，對於生活或工作上的節奏，我已經失去掌控權，而且這樣的狀態還日益嚴重，可想而知，那時候的日子過得有多麼的焦慮和混亂。所以當我接觸到子彈筆記時，我真的覺得自己遇到救世主。

因此在看完書的當下，我立刻買了一本空白筆記本，幫自己畫了當月的子彈筆記。第一個月使用時，成效驚為天人，我印象非常深刻，那一個月我完全沒有忘記任何一件我要做的事，不再像過去忘東忘西，我的腦袋隨時都很清楚當下的目標與任務、有什麼事情該優先完成、有什麼事情尚未完成……自從經營粉專以來，那是第一次感受一股無形的力量，逐漸拿回生活的主控權。**如果說使用子彈筆記之前我，內心焦慮感和生活失控感有 80%，那麼使用子彈筆記後，大概少了至少 40%。**

　　然而，在月底時，因為我來不及畫好下個月的子彈筆記，因此在第二個月，我就中斷了，但一中斷，我那個月的生活又直接大失控，焦慮感甚至來到前所未有的高點。

　　我告訴自己不能再繼續這樣下去，所以到了第三個月，我又趕緊把子彈筆記畫好，但原本就已經很忙碌的日子，根本也沒什麼耐心慢慢畫，也越畫越醜、越畫越隨便，整個歪七扭八，最後演變成，因為整個筆記的視覺觀感太差，導致我也不太想去翻開、使用它了。

　　在我把這樣的使用經驗分享到粉專後，得知許多粉絲使用子彈筆記，竟然也跟我有一模一樣的困擾：

　　「未來誌、月誌、日誌的版面都要自己數格子、畫線、寫標題，好麻煩。」

　　「不會畫畫，所以畫起來好醜，因為好醜所以讓人看了就不想用。」

　　所以我開始思考：子彈筆記在國外如此火紅，而實際上也非常強大有效，市面上一定有賣已經都畫好模板的子彈筆記本吧？於是，我開始上網搜尋，結果竟然沒有！

　　當時，我心想：「要是**市面上有一本完全不用自己畫的子彈筆記本，那該有多好。**」

　　接著，我甚至萌生了這樣荒唐的想法：「不然……還是……我自己來做這件事？」

　　這個想法之所以非常荒唐，是因為如前文所描述，我只是一個普通上班族，我完全沒有任何產品製作、網路販售的經驗，也沒有學過任何行銷的專業知識，更沒有厲害的資源或人脈，所以我當下真的覺得這個想法很荒唐。

　　但荒唐歸荒唐，我不認為這是一件不可行的事，因為……你們大概也猜得到我要說什麼了，因為我從來不小看自己。對我而言，只有「一旦決定要做，就盡全力去做，不要後悔」或是「決定不要做，那就不要做，不要後悔」這兩者之間的差別而已。

　　這個荒唐的想法，就這麼持續在我腦海裡徘徊了半年。直到有一天，我跟友人聊到此事，她毫不猶豫地對我說：「你一定要做這件事！」那是我第一次跟別人分享這個想法，也是我第一次從別人的口中聽到，原來我真的可以做這件事。不知道為什麼，一件事情從原本在自己的腦袋想，變到從別人口中說出來，這件事瞬間變得很真實，給了我很大的勇

氣，也是因為這次的對話，讓我下定決心我要做這件事。

　　但是，若要做這件事情，一開始就會碰到一個很現實的問題，那就是我有足夠的資金嗎？

　　前文提到 100 萬元存款的故事，在存到 100 萬元之後，我沒有就此停住，一樣繼續努力維持每個月存 50,000 元的習慣，所以答案是，有的，我有足夠的資金。

　　這則故事完美地告訴我們，養成固定的儲蓄習慣是多麼重要，就算當下沒有明確的目標，還是要盡可能讓自己能夠固定存錢，因為當我們在未來的日子裡，真的有很想要完成的目標、或是有自己很想做的事情時，我們不用無奈地屈服於現實，過去一點一滴累積的存款，這時都會成為我們最大的助力。

　　於是，我當時設立了這樣的目標：「一年後，我要首次販售這本自己設計的『市面上第一本不用自己畫的子彈筆記本』。」著手為一年的準備期，規劃了一個完整的執行計畫（我所使用的策略、方法、工具、步驟，詳見第 2 章、第 3 章）。

　　在這一年的準備期，我要自己尋找配合的廠商，跟廠商

討論所有細節、計算所有成本、法律諮詢、完成內頁設計→試用→改良→二度試用→二度改良→三度試用→三度改良、研究怎麼自己架設網站、研究要上架到哪個平台、研究怎麼行銷、研究物流與金流，除此之外，還要打樣、找攝影師拍攝商品、製作宣傳貼文、撰寫網站上的內容、製作完整使用說明書。

在這一年，我扎扎實實利用正職、副業、經營粉專以外的時間，為這件事做好充足的準備。

一年後，2022 年 6 月，市面上第一本完全不用自己畫的子彈筆記本《Action 行動力子彈筆記本》，就這麼誕生了（於 2023 年成功申請專利），隨後也在 IG 粉專進行首次的公開販售，我真的如期實現了一年前所設立的大目標。

首次販售，粉絲的反應非常好，當時粉絲數只有七八千人，卻得以在一個月內即銷售一空；沒有銷售壓力，我便把心思放在下一步，**繼續思考著**，除了提供這麼強大的工具給粉絲，我該如何讓這些使用者，能夠跟我一樣，大大受益於這項工具呢？

☑ 不是賣完就好了嗎？

之所以決定要做這整件事，是因為希望讓更多人都可以藉由這項工具，一步步拿回屬於自己的生活掌控權，並建立自己在工作上的成就。完售只是讓我不用承受龐大的銷售壓力，但我賦予自己的任務與責任，也就是我的初衷，才正要開始。

於是，我成立了一個 Action 專屬 LINE 社群。在社群裡，我親自帶領所有夥伴使用 Action 這項工具：

- 針對當下需要完成的進度，我會提供每個執行步驟的手把手教學，包含純文字說明、圖文教學、影片教學

- 每天、每週、每個月，都有自我檢視與進度完成的例行提醒，如果只是提供教學，但沒有在意大家是否有確實完成，對我來說，就有點失去了親自帶領的意義

- 我也會時常鼓勵夥伴，在使用上如果遇到困難，一定要說出來，勇於提出自己心中的問題，他們也很

積極提問，而針對這些每一個問題，不管是在社群
上的訊息，還是私訊，我都非常認真回答。「這些
回答是為了解決夥伴的問題，或是引導夥伴找到解
答，而不是為了敷衍了事」，我抱持著這樣的態
度，有時為了回覆一則訊息，我可以花上一小時撰
寫內容

- 我也經常在社群跟夥伴分享自己在生活管理、目標
  規劃的實際使用範例與實際執行狀況，或是當下遇
  到的問題，以及我如何解決，讓大家在這一路上都
  有一個可以參考的對象，並藉此激勵大家、引起大
  家的共鳴

- 我也會常常在社群裡，為感到沮喪低落的夥伴加油
  打氣，並幫助他們調整心態

　　每一件事，我都盡最大的努力親力親為，做到這樣的程
度，就是希望讓 Action 這項工具，可以真實為夥伴的生活
與工作，帶來實際的改變（如同我自己的使用經驗），這些
投入的大量時間與心力，完全不亞於我的正職工作。

☑ 只賣一本筆記本，竟賣到需要開公司？

因為這樣的用心，越來越多人看見我在做的事，也越來越多粉絲加入 Action 的行列，並且感受到 Action 的驚人威力。隨著銷售的數量不斷增加，營業額也很快地即將要達到在法規上需要開公司的情勢，因此在當時的階段，我必須決定：要開公司繼續做這件事情，還是就此打住不再做這件事？

先不說無形成本，例如：時間成本、沉沒成本、精神耗損，光是成立公司每年所需負擔的固定支出，以及從製作到出貨，之間的實際成本支出，對於一個普通上班族而言，就已經非常可觀了，只要有一年賣不好，造成的虧損可以直接讓我結束遊戲。

但即使承受著這樣的風險，我仍然選擇了我要繼續做，沒有絲毫猶豫。

也因為這個決定，我原本預計在那年年底買房，就先從頭期款挪用 100 萬元做為公司資本額，並成立「把書吃了有限公司」，買房計畫因此無限期延後。之所以無限期延後，

不光只是因為頭期款少了 100 萬元，而是我必須隨時保留一大筆資金，做為萬一做這件事不幸發生大筆虧損的後路。

做這個決定，說實在非常不容易，因為好幾年前，我已經規劃好什麼時候買房，期待好久也終於等到這一年，卻無法如期實現，難免感到失落。

然而，為什麼我可以毫不猶豫做出這樣的選擇？背後的一切動力，全部來自那些上百則使用者主動給予我的回饋，透過每則訊息，我親眼看到 Action 工具是如何為他們帶來具體的改變與進步，我深刻感受到做這件事為他人帶來的影響力，而這就是我一開始啟動這一切的初衷。

沒錯，我毫不猶豫選擇繼續為此奮鬥！

04　不慌不亂不焦慮的
斜槓生活，怎麼做到？

　　故事講到這裡，此刻的我身上有 1 個正職工作、1 個英文家教副業、2 個斜槓興趣，分別是 IG 粉專「把書吃了！」和《Action 行動力子彈筆記本》。其中正職的工作需要負責產品的開發與客戶的開發；英文家教需要備課、優化課程內容的設計、優化教材的編撰；經營 IG 粉專則是需要看書、整理精華重點、撰寫介紹內容、製作貼文；《Action 行動力子彈筆記本》的工作則需要負責設計、實體製作、行銷、販售、專屬社群的經營、安排訂單出貨、處理客服問題等。

　　所有的事情我都自己來，可以想像一個人要做這些所有事，真的很瘋狂，如果說很吃力完成這些事，然後每個方面都普普通通，也就算了，這就沒什麼好拿來說嘴，但令人覺得更瘋狂的是，在各方面的表現是不斷往上提升：在正職工

作上我從 23 歲踏入職場領著月薪 33K，到 27 歲已經年薪百萬；在英文家教的小事業上，從一開始在 104 家教網上面招生，那時都得花好幾個星期學生才能收滿，到現在我只是在個人 IG 上發一篇限時動態，就能夠在幾小時之內收滿學生，後續還會收到很多訊息表示要排候補名額；在經營「把書吃了！」IG 粉專的斜槓興趣上，兩年半的時間，粉絲數的成長也一路從最初的 0 個粉絲慢慢累積到 2023 年的 4 萬；在《Action 行動力子彈筆記本》的斜槓興趣上，從一個無人知曉，到現在光只是在 IG 上推廣就能售出上千本，甚至還受到台積電某部門主管的邀約，在部門的雙月會上，向台積電的菁英介紹這個強大的工具，而後又受自己的母校－東海大學的邀約，返校演講，把 Action 這套方法帶給東海大學的師生們。

　　所以大概可以想像，我真的超常被大家問，我到底是怎麼做到正職、副業、斜槓三管齊下，除了生活不失控，竟還可以把每一項都做得有聲有色？

　　其實不瞞大家說，這幾年下來，一年 365 天不分平假日，每天從早上起床到晚上睡前，我都在工作，忙著處理、執行每一件事，給自己的壓力也沒小過，但就如同本章節的

標題，我並不會對於爆炸的生活感到慌張或焦慮，思緒也隨時保持清晰不混亂，忙歸忙、壓力大歸大，但我還是可以把所有事情掌控得很好。

讓我能夠把時間的管理，長期維持在最大程度的高效運用，並且讓我在每一天，都能很專注、很有目的地完成當下最重要的事，我靠的就是「子彈筆記」；而幫我從規劃目標到真的實現目標，我靠的是這套自創的「關鍵五步驟目標實踐法」。

行動力子彈筆記本，就是結合子彈筆記的「任務管理術」，以及自創的「目標實踐法」，將兩者合而為一的強大工具，而使用這個工具的策略、方法、步驟、概念、規則、邏輯、實際應用的真實範例、心態、精神，就是在本書第 2 章到第 4 章，完整分享給讀者。

讀者在學習本書的內容後，就算不打算使用這個工具，也一樣可以把這樣的策略、方法、概念、邏輯、心態、精神，直接應用在自己的生活與工作上。不論你對這樣的工具是否有興趣，我會確保大家都能受益於本書的內容，讓大家在看完本書之後，都有很大的收穫。

在第 1 章故事的最後，我想跟大家分享，使用這個工具以後，為我的生活、工作和自我的成長，帶來了怎樣的不可思議的改變。

☑ 原來盲目努力是無法達成目標的

從小到大，我一直都是非常勤奮、努力的女生，但過去的我，做事沒有策略，也沒有方法，只知道盲目努力，所以在學期間，我只拿到平庸的成績，像是整天埋頭苦讀準備學測，結果只拿到了 40 級分（滿分 75 級分），無法申請心目中理想的大學，直接放棄填自願報名指考，然後拚死拚活準備指考，最後也只考上了私立大學。大三申請學校的交換學生，因為在校成績太普通，最後只申請上比較少人申請的非英語系國家（法國），而且我還完全不會說法文，唯一會講的一句法文就是 Je ne parle pas français.（我不會說法文）。大四時，我懷抱著一個口譯夢，因此我非常認真從早到晚都在為口譯研究所的考試做準備（但現在回頭看，其實就是在瞎忙，因為我準備的過程毫無方法可言，只是自己在那邊亂讀一通），所以後來一間也沒考上。直到那一刻，我才被一

棒打醒，原來盲目努力是無法達成目標的，這時我明白了，做事的「方法」才是關鍵。

　　出社會後，我開始學習如何做「規劃」，我不再盲目一頭栽入，在執行每一件我想完成的事情、每一個我想達成的目標之前，我會先做一件事，那就是投入大量時間規劃出「完整的執行計畫」，包括後續該做的每一件事、每一個行動、執行時間、整個計畫的時程表……透過這樣的規劃，我清楚看到達成此目的的有效路徑、方法和可預期的結果（目標實踐法）。一旦有了如此具體的方向與執行步驟，接下來就是全心全意專注在自己的目標上，並以系統化的方式執行每一步（任務管理術）。

　　這件事可說是扭轉了我的人生，學會聰明工作的我，不再像過去一樣得到平庸的成果，我開始有了亮眼的表現，不管換到哪間公司，我總是能夠成為主管的愛將，工作越找越好，薪水也越跳越高。甚至後來，我得知一些大學同學還會在私下聚會談論到我，說我大學四年明明成績不怎樣，各方面也很不起眼，很多時候還很雷，怎麼出社會後完全變了一個人？可想而知，這樣的轉變有多巨大。

　　帶著希望讓更多像我一樣的普通人，都可以藉由這套工具，為自己的人生帶來不一樣的改變，因為這樣的初衷，我寫了這本書。接下來，就讓我繼續分享這本書的核心內容吧！

第 2 章

讓生活不再失控的
任務管理術

05 　靈魂符號：
所有待辦任務，
再也不遺漏

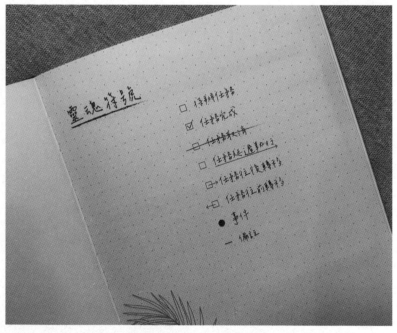

圖表 2-1　靈魂符號

　　在每一天當中，我們在當下該去完成的每一個待辦任務，之所以能夠確保它最終一定能被自己確實執行，全都是因為有「符號」這個靈魂角色（圖表 2-1）。

□ 待辦任務

　　所有我們在這個工具裡面寫下來的每一個目標、任務、待辦事項，我們都要記得給它一個待辦任務的符號（空心正方形框框）。一旦畫上這個任務框框，就意味著，直到這個任務被自己實際完成以前，我們都要對這個任務負責任，就算沒有如期完成、或是該任務已經不需要執行了，我們也不能對這個任務框框棄之不理，一定要主動的去「處理」它，至於該怎麼處理呢，我們繼續看下去。

☑ 任務完成

　　每當自己完成一件目標、任務、待辦事項時，就爽快的

在它的框框打上一個大勾勾，並默默在心裡對自己說聲：幹得好！

☐ 任務取消

　　當原本需要去完成的目標、任務、待辦事項，後來因為某些原因已經不再需要去做了，例如：請你去做這件事的人告訴你不用做了；或是自己評估過後覺得這不是件重要的事，所以決定去蕪存菁不花時間在它身上……就不用客氣的在它的框框畫上一條粗粗的刪除線吧。

☐ 任務延遲執行

　　那些我們原先安排在每一天要做的待辦事項，或是我們列出在每個月要完成的重點任務，只要有任何一個任務沒有如期完成，也就是說時間已過，但因為某些原因導致自己沒有去完成它，例如：被其他事情耽擱，或是因為自己的拖

延症，這時我們就要認份的給這個任務畫上延遲執行的符號（長長的向右箭頭），並且在當下就要再把這個任務，重新寫到下一個我們預計要執行的時間點，這個動作很重要喔！畫了延遲符號後一定要再次把這個任務寫下來，如此我們才能夠持續追蹤這個任務的完成與否。

所以呀！當我們發現，怎麼最近好像畫了很多長右箭頭，或是自我檢視時看到很多長右箭頭的出現，這時我們就可以清楚知道，啊！自己的拖延症又犯啦！而一旦我們意識到這件事，我們就可以很立即的做出改善與調整。

之前曾跟朋友在討論內在心理這個話題，我們說到，一個人不管是內在還是外在出了問題，如果這個問題要得到改善，首先這個人一定得先「意識到」自己有這個問題，這才有辦法產生後續的自我反思，進而去做出不一樣的行為。先不管自己在意識到之後，是否願意去正視它或處理它，因為這屬於個人的決定，但只要自己沒辦法意識到問題的存在，這個問題就永遠會存在。

所以**延遲符號其實有一個非常重要的意義，在於它能夠讓幫助我們「意識到」是不是哪邊出問題了**，意識到之後，我們可以選擇積極面對，也可以選擇消極無視，但就如同前

面所說，做出怎樣的選擇，就會得到怎樣的結果。

　　這邊分享一個夥伴過去在社群分享的使用回饋（圖表2-2）：

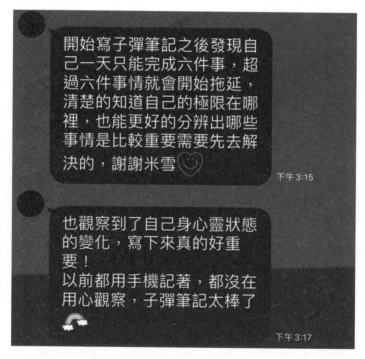

　　　　　開始寫子彈筆記之後發現自己一天只能完成六件事，超過六件事情就會開始拖延，清楚的知道自己的極限在哪裡，也能更好的分辨出哪些事情是比較重要需要先去解決的，謝謝米雪🙂
下午 3:15

　　　　　也觀察到了自己身心靈狀態的變化，寫下來真的好重要！
以前都用手機記著，都沒在用心觀察，子彈筆記太棒了🌈
下午 3:17

圖表 2-2　粉絲回饋

　　這位夥伴在一開始使用 Action 時，因為太興奮而在每天都會寫上超多待辦任務，沒多久就發現，奇怪怎麼好多任

務都反覆畫了延遲符號，因而感到沮喪無助。當時我鼓勵這位夥伴，要去思考背後的原因，並且做出調整。這讓夥伴開始去自我反思、去觀察自己的執行狀況，後來也就成功找到造成拖延的原因，這個問題因而得到改善。我經常會告訴夥伴們，遇到問題是好事，問題能引發我們思考，而思考可以引導我們去找到答案，這樣的過程，就是最直接有效的學習方法。

高效小訣竅

　　我自己通常會用紅色的筆畫延遲符號，這樣可以讓我更直覺、更視覺化的直接看到，給大家參考。

←☐ 任務往前轉移　　☐→ 任務往後轉移

　　當我們在未來誌、月誌、日誌之間，移動任務時（這三個誌在後面章節會一一說明），或者更具體的來說，當我們想要把一個任務，從某個原先安排的執行時間點，事先規劃

到另一個時間點去執行，這時就必須去移動任務，移動任務
的同時，我們需要為該任務畫上轉移符號（短短的向右箭頭
或向左箭頭），並且在當下就要再把這個任務，重新寫到另
一個我們預計要執行的時間點。

轉移符號與延遲符號的差別？

　　轉移是在任務的執行時間到來之前，就事先決定把
任務規劃到不同的時間去執行；而延遲則是時間已經過
去，因為自己未能如期完成而延後執行。

　　PS. 轉移符號與延遲符號如果看了沒有很懂沒關
係，在後面講解未來誌、月誌、日誌的使用方式時，都
會再反覆提到，搭配這三個誌的用法可以更好理解轉移
與延遲的概念哦！

　　例如：某天一早，翻開當天的日誌看著上面的待辦任
務，分析後認為當天任務太多或是因為其他某些原因，導致
你覺得某些任務應該是無法在當天完成，便決定「事先」就

把該任務安排到往後的其他天執行，或是先將它寫回到前面的月誌－本月待辦任務清單……不管是移動到後面還是移動到前面，這時就要在它的任務框框上畫轉移的符號（如果是往後寫就畫上往後轉移的短右箭頭，如果是往前寫就畫上往前轉移的短左箭頭），接著一樣要在當下就把該任務重新寫到另一個預計執行時間點。

● 行程與事件

當有任何已知的、已排定日期的活動、會議、聚餐、聚會、約會、出遊、預約……寫下來的同時，也給它畫上一個行程與事件的符號（實心圓）。

一 備註

針對寫下來的行程與事件，或者是寫下來的待辦任務，如果有任何想要備註、補充、提醒自己的小事情，就可以畫上備註的符號（短槓），並以簡潔的方式寫下。

☑ 關於「符號」這個靈魂角色

符號除了可以提供我們非常強大的視覺輔助，讓我們可以藉由這些符號，清楚掌握哪些任務已經完成、哪些任務尚未完成、哪些任務已經不重要、哪些任務一再被拖延。

有了符號這樣的角色，讓我們完全不用擔心任務會被自己遺漏或忘記，因為在每個任務被自己打勾以前，符號都會幫我們有效管理這些任務。

而不管是延遲還是轉移，雖然需要再把任務重新寫下，看似麻煩，但其實這個動作是具有意義的，任務挪移重寫時，會讓我們重新思考任務的重要性與緊急性，讓自己可以把時間花在真正重要的事情上，並且讓我們更清楚知道，自己必須在何時完成哪些任務，讓自己有效的掌握每一天的生活安排。

最後當每個任務一件件完成時，親手將它打勾的這個小動作，無形之中將帶給我們大大的愉悅感與成就感，甚至激發自己去完成更多任務的動力，長期下來真的可以實際看到自己的執行力越來越進步。

高效小訣竅

除了以上七個符號，讀者若想要自創其他符號方便
自己使用，也都是可以的哦！

圖表 2-3   符號的實際應用範例

06 ✓ 年度行動力清單：只寫下對自己真正重要的項目

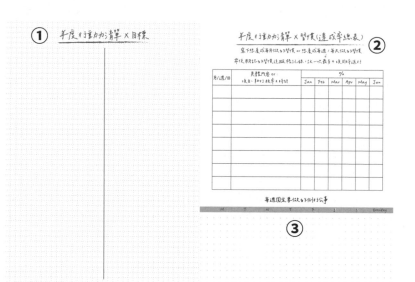

圖表 2-4　年度行動力清單的設計元素

　　年度行動力清單分成左右兩頁（圖表 2-4），並含有三個設計元素：

1. 左邊──目標清單
2. 右邊（上）──習慣清單（習慣達成率總表）
3. 右邊（下）──每週固定要做的例行公事

☑ 我想為今年的自己，　設定怎樣的「目標清單」？

　　完成目標清單，需要好好花時間，靜下心來，認真的與自己對話，搞清楚自己想做的事情究竟是什麼。

　　一開始撰寫可以先從這 3 個方向去思考：

→ 有什麼是對我而言很重要，我今年一定要去做、要去完成的事情？

→ 有什麼是我一直很想去做、很想去完成，但遲遲沒

　　行動的事情？

→　接下來的半年至一年，我期許自己要完成、要做到
　　的事情有哪些？

高效小訣竅

　　垂直線的左右兩邊，可以依自己的需求分類別書
寫，例如：工作 / 生活；學業 / 生活；主業 / 副業……
（圖表 2-5)

年度行動清單 X 目標

工作	生活
☐ 考取XX證照	☐ 跑一次馬拉松
☐ 通過西文檢定DELE B1	☐ 百岳五顆
☐ 完成碩士論文順利畢業	☐ 挑戰1件沒有做過的事
☐ 學習PYTHON	☐ 整理房間
☐ 成功洽談3個品牌	☐ 參加一場淨灘活動
☐ 完成英文履歷	☐ 學會用吉他彈3首曲子
☐ 返回職場	☐ 換車(T-ROC)

圖表 2-5　目標清單範例

如果還是不知道該寫些什麼，以下提供輔助思考的 6 種目標類型（難度由易到難）與各自的範例，或許可以為讀者激發一些想法與點子：

動作類

□ 全身健康檢查

□ 把房間布置成自己喜歡的樣子

□ 實踐 XXX（例如：膠囊衣櫥）

□ 考取汽車 / 機車駕照

□ 返回職場工作

□ 離職休息兩個月

□ 完成中英文履歷

□ 搬家

□ 找新的租屋處

□ 保險規劃

□ 打工買機車

□ 捐血

□ 完成空間斷捨離：□ 房間 □ 衣櫃 □ 客廳 □ 廚房

□ 完讀 5 本 XX 相關書籍：1 □ 2 □ 3 □ 4 □ 5 □

□ 學做 3 道新料理 1 □ 2 □ 3 □

體驗類、嘗試類

□ 參與 XX 一日志工（例如：醫院、長照、浪浪）

□ 參與一場淨灘活動

□ 觀看一場音樂劇

□ 嘗試高空跳傘

□ 嘗試室內攀岩

□ 報名瑜伽課

□ 到 XX 海島度假

□ 認識外國朋友

□ 體驗重裝野營

□ 參加 XX 展覽

學習類

□ 學習 XX 語言（例如：英文口說、日文會話）

□ 報名 XX 課程（例如：大人學、PMP、Illustrator、
寫作）

□ 報名 XX 講座、研討會（例如：104 新鮮人求職、文
史、資訊軟體、教育）

□ 完成 XX 線上課程（例如：Hahow、Udemy、巨匠）

□ 學會 XX（例如：自由潛水、輕彩繪、開車上路）

□ 學做 XX（例如：甜點、翻糖蛋糕、西式料理）

□ 自學 XX（例如：程式語言、攝影技巧、影片剪接）

□ 研究 XX（例如：Notion、財報分析、定期定額）

考試類

□ 考取 XX 專業證照

□ 多益達 XXX 分

□ 托福達 XXX 分

□ 通過日檢 Nx

□ 通過西文 DELE Xx

□ 通過公司內部 XX 考試

□ 準備 XX 公職考試

□ 準備 XX 研究所考試

個人目標實現類

□ 挑戰一件過去沒做過的事：XXX

□ 成功申請交換學生

□ 成功拿下工作實習機會

□ 一個人的旅行（地點 / 天數）

□ 歐洲自助旅行 1 個月

□ 架設個人品牌網站

□ 參加 XXK 馬拉松

□ 瘦身 XX 公斤

□ 完成碩士論文

□ 完成 XX 專案

□ 年度業績達 XXXX

□ 成功洽談 X 個品牌或案子

□ 成功開發 XX 個客戶

□ 粉專粉絲數達 XXXX

□ 參加兩鐵賽事

計畫擬定類

□ 擬定完整的 XX 計畫 (例如：創業、自媒體經營、開
店、儲蓄)

□ 擬定 XX 優化計畫（例如：服務內容、課程設計）

□ 重新調整 XX 計畫（例如：理財投資、客戶開發）

□ 擬定 XX 的每月、每週、每日執行進度
（例如：學測各科複習、論文撰寫）

對於目標清單有了比較具體的概念後，在準備開始動筆
之前，有五件事情（五不原則），我希望讀者在撰寫目標清
單的同時，都可以經常提醒自己：

不需要硬是要把目標清單寫得滿滿的

　　我們在寫目標清單時，追求的是目標的「精準度」，而不是目標的數量多寡。所謂精準度的意思就是，每一個寫下來的項目，都是對自己而言真正重要的事，是自己真心想完成、必須去做的事情。因此，就算只寫下了 1、2 個項目，也都很好；或甚至當下真的沒有想要完成的事情，那就讓它空白也沒關係。

　　要記得提醒自己不需要硬寫，因為這樣的行為最後只會變成「為了做而做」：為了可以在目標清單上寫些什麼，而勉強的寫下一些對自己而言不是太重要的項目。接著年底回顧時，會發現這一類的項目最終都沒有完成。為什麼呢？因為只要這些項目，不是自己真心想完成的事情，或是完成這件事對自己的意義並沒那麼重大，那麼日後執行它的動機與動力，以及完成它的信念與使命感，可想而知是不用太期待的，既然如此，不如一開始就別把自己的時間與精力浪費在這些不太重要的事情上。

不要寫下別人的目標

　　寫目標清單最常會發生的情況就是，自己不知道要寫什麼，於是就看看周遭朋友都在做些什麼事、追求怎樣的目標，自己也就沒想法的學著照做。要記得提醒自己，別人的目標，與我們無關；我們的目標，也與別人無關。如果我們只是一昧的在追求「成為別人」這件事，這樣的人生大概會很迷惘吧。

　　那該怎麼分辨，寫下的目標是別人的還是自己的？很簡單！只要對於這件事，心中有一個很明確且強烈「why」，那就肯定是自己的！

　　舉例來說：

A：為什麼想要學英文？

B：因為身邊朋友英文都很好，我也想跟他們一樣。

A：那為什麼想跟他們一樣？

B：因為他們都很屬害，我想變得跟他們一樣。

A：嗯……好喔……（有講跟沒講一樣）

···

A：為什麼想要學英文？

B：從去年開始，公司決定把重心放在海外市場，英文
　　能力不好的我，只能眼睜睜看著老闆把海外重要大
　　客戶，一個個交給原先與我平起平坐、跟我有著同
　　樣職等的同事，這位同事甚至在前陣子被升遷加
　　薪，成了部門主管，而我卻還在原地踏步。所以我
　　下定決心，不管是在這間公司還是在未來職場上，
　　我都不想再被英文絆住，所以我一定要學好英文。

A：哇！原來如此，我明白了！

　　在第一個對話，我們只看到了一個很想成為別人的人，
背後真正的動機，無從得知，此人或許也不清楚。

　　在第二個對話，我們可以清楚看到這個人想學英文的
「why」，而且非常強烈。透過這個例子，讀者大概可以
深刻理解到，別人的目標 VS 自己的目標，這兩者之間的
差異了。

不要不切實際

前面有提到 6 種目標類型：動作類、體驗 / 嘗試類、學習類、考試類、個人目標實現類、計畫擬定類。前面 2 個類別是最單純、最簡單的，屬於「做就對了」的類別；而後面 4 個類別則屬於有相當難度與複雜度的類別，因為會需要投入大量的時間與心力去規劃與執行。

寫目標清單經常發生的另一種情況是，自己想完成的事情太多了，於是通通寫下來，決定在今年全部一次實現。

倘若目標清單上大多寫的都是動作類與體驗嘗試類，那倒是沒什麼問題，因為執行上的難度並不會太高；但要是寫在上面的項目大多都是後面四種，而且還把整頁寫得滿滿滿，那這樣的目標清單，大概是寫給自己心安用，因為太不實際了。

想像一下，有一個人想要在一年的時間裡，學好英文、學好日文、學好韓文、同時還要拿下好幾張工作上的證照、另外還有自己的斜槓計畫。光是想要學好一種語言，就已經需要長時間投入大量的時間與專注力，讀者認為，這樣的年度目標達成度會高嗎？大家可以自行思考。

　　所以撰寫目標清單時，一定要記得依照自己的實際狀況，設定一個合理的挑戰，盡可能避免在一開始就寫下過於困難、太為難自己、完成度極低的項目，也要避免寫下超過自己實際可以負荷、完成的項目數量。

不要寫下抽象的目標

　　目標太模糊、太抽象，都是阻礙我們實現目標的絆腳石。只要記得一個原則：**永遠要以具體的執行方法與具體行動，取代抽象的目標。**

- NG 的目標清單範例：

☐ 讓收入穩定（該怎麼做呢？）

☐ 主動表達對家人的愛（要以怎樣具體的方式？）

☐ 改善脾氣（實際的方法是？）

☐ 提升專注力（該做出哪些行動呢？）

☐ 學習投資理財（投資理財範圍很廣泛，是想學習投資還是理財？定期定額？財報分析？資金分配？）

- **比較好的目標清單範例：**

□ 讓收入穩定　　　　　→ □ 換一份收入穩定的工作

□ 主動表達對家人的愛　→ □ 手寫卡片寫下想說的話

□ 改善脾氣　　　　　　→ □ 學習如何冥想並安排固
　　　　　　　　　　　　　　定的冥想時間

□ 提升專注力　　　　　→ □ 實踐番茄鐘工作法

　　　　　　　　　　　→ □ 限制自己每日使用手機
　　　　　　　　　　　　　　的時段

□ 學習投資理財　　　　→ □ 去開證卷戶並設定定期
　　　　　　　　　　　　　　定額

　　寫目標清單時，要提醒自己直接把實際項目以及具體的方法寫下來，避免讓清單上出現過於廣泛、抽象、模糊的項目。

不要寫了就不再做調整

　　一開始在設定目標，很多時候都是用想像的，只有在實際執行之後，才會知道真實狀況與結果是怎樣。所以如果在執行了一段時間後發現，原先設定的目標好像太難以達成，

或者是覺得不夠精準或具體，都要記得隨時塗改做調整。那如果有某些項目後來變得不再重要了呢？如果該目標已經不再符合自己想要的、或是不符合自己的需求，那就放心的把它劃掉吧（任務取消符號），懂得去蕪存菁也是一件非常重要的事情。

掌握了目標清單的使用方式，接著我們來看看習慣清單（習慣達成率總表）的使用方式吧！

☑ 我想為今年的自己，養成什麼「好習慣」或戒除什麼「壞習慣」？

習慣清單上會出現這 3 種類型的習慣（圖表 2-6）：

月/週/日	具體內容 ex: 項目、事物行頻率(時間)	%					
		Jul	Aug	Sep	Oct	Nov	Dec
月	月存五萬	✓	✗	✓	✓	✓	✗
週	健身房：每週二四下班後	48.5	62.7	59	70.2	80.5	100
日	情緒管理：不生氣/天	30	52.7	66.6	69.1	70.4	74.9

圖表 2-6　習慣清單範例

月習慣

　　月習慣就是想養成每個月做的習慣（例如：每月儲蓄 5 萬）或是該習慣的執行頻率是：每個月做 X 次（例如：每個月看 2 個 TED Talk 演講）都屬於月習慣。若是月習慣，則寫上「月」與其具體內容，在一個月結束時，我們會把實際執行結果，統一記錄在這個習慣達成率總表。

週習慣

　　週習慣就是想養成每週做的習慣，執行頻率包含：每週做 X 次（例如：每週閱讀一篇時事報導）、或是固定每週幾要做（例如：每週二四上健身房）。若是週習慣，則寫上「週」與其具體內容，一樣在一個月結束時，我們會把實際執行的達成率（％）統一記錄在此。

日習慣

　　日習慣就是想養成每天做的習慣（例如：每天喝水 3L、每天睡前閱讀 30 分鐘、每天起床冥想 10 分鐘）。若是日習慣，則寫上「日」與其具體內容，同樣的在一個月結束

時，我們會把實際執行的達成率（％）統一記錄在此。

其中「週習慣」與「日習慣」必須搭配月誌的「習慣追蹤格」做使用，這部分在後面月誌的章節會有完整說明，在此章節我們僅需了解習慣達成率總表的存在意義：

在《原子習慣》一書中提到了，利用習慣追蹤可以有效幫助我們維持習慣，而市面上也越來越多筆記本，都有把習慣追蹤這樣的元素設計進去。然而，我認為針對同一個行為，如果只有每天的記錄，而沒有整體的回顧與檢視，那就有點失去記錄的意義了。這也是為什麼我要把習慣達成率總表這個元素，設計到此工具裡面的原因。**習慣達成率總表的最大功能，就在於它能夠讓我們清楚看到，自己每天、每一週、每個月努力養成或戒除的習慣，執行的成效究竟如何？長期執行下來，達成率是越來越高，還是越來越低？**

有了可以整體回顧的總表，我們便可以在每個月根據實際的執行成果，隨時調整我們的執行策略或方法，並讓自己有意識的去思考可以如何做出改善。

以下一樣提供輔助思考的習慣清單範例，希望可以為讀者激發一些想法與點子：

想養成每月做的習慣（月習慣）

每個月定期定額 $$$$

每個月固定儲蓄 $$$$

每個月讀 1 本書

每個月為家人做 1 道不同的菜

每個月爬 1 座百岳

每個月去走 1 次森林步道

每個月帶家人露營 1 次

每個月跟另一半兩人旅遊 1 次

每個月 1 次單人小旅行

每個月看 1 部西班牙文的電影

每個月看 2 個 TED Talk 演講

每個月產出 X 個 XXX

每個月整理 1 次房間

每個月去按摩 1 次

每個月探索 1 家咖啡廳

每個月與 1 位知心好友聚會

每個月參加 1 場讀書會

每個月掃 1 次廁所

每個月結算淨資產

每個月回家 1 次看看家人

每個月開發 2 個新客戶

想養成每週做的習慣（週習慣）

每週一晚上全家聚在一起吃一頓飯

每週二晚上研究個股

每週三無肉日

每週四晚上 8：00 到健身房運動

每週五晚上自我放鬆不工作

每週六晚上寫反思日記

每週日晚上寫感恩日記

每週日晚上完成下週行程規劃

每週日與家人通話或視訊 1 次

想養成每天做的習慣（日習慣）

每天下班前，復盤思考明天可以做更好的地方

每日使用手機時間 12：00 ～ 13：00、18：00 ～ 21：00

每天三餐飯後記帳

每天喝水 2L

每晚 22：00 後不能再工作

每天睡前 1 小時不再滑手機 22：30 ～ 23：30

每天睡前閱讀 30 分鐘 22：00 ～ 22：30

每天起床冥想 10 分鐘 07：00 ～ 7：10

每天走 7500 步

每天 7：00 起床、23：00 睡覺

每天中午背英文單字 15 分鐘

每天對一個人說一句好話

　　從上面的範例當中，我們可以看到週習慣都已經直接寫上「固定要執行的星期」，以及日習慣也都寫上「固定要執行的時間」。**對於習慣的養成，設定一個固定執行的時間，這件事情可以說是非常重要，比起隨意的執行，固定的時間讓自己更容易照做，達成率也會提高很多。**

　　舉一個實際的例子：過去的我想要養成每週兩天到健身房重訓的習慣，但我並沒有設定固定星期幾要去，我就是憑感覺，感覺對了我就去，結果那半年的時間，猜猜我每週去幾了次健身房？最多 1 次甚至有時候一整週都沒去。後來我調整了我的做法，我在習慣清單上改寫下：每週三六上健身房。結果怎麼樣？半年的時間，我的達成率都

維持在 70% ～ 90%。

對於習慣清單有了比較具體的概念後，在準備開始動筆之前，有兩件事情，對於制定習慣養成／戒除計畫，十分重要也非常實用：

一定要使用「階段性調整」的策略來進行

習慣的養成，不能妄想一步就想跨到終點。記得曾經看過一個講述習慣養成的影片，它解釋：假使沒有運動習慣的我們，目標是養成「一週上健身房 3 次」的習慣，這時就不能直接把終極目標寫上去，從一個月 0 次到一個月 12 次（一週 3 次）這麼大的轉變會讓自己很難守住承諾！因此，我們可以在一開始先設定兩週去 1 次的微弱強度，在執行了一陣子並漸漸習慣後，則可以提高強度改成一週去 1 次，執行了一陣子且漸漸習慣後，可以再提高強度變成一週去 2 次，依此類推。

習慣之所以難以長期維持，其中一個最主要的原因就是因為，我們總是在一開始，就為自己訂下很崇高的目標，想要一次就養成，或是一次就改掉某個習慣。但習慣的養成或戒除，並不是「一次解決」這樣運作的。如同《原子

習慣》裡面所說的：「你該做的第一步，是讓習慣變得簡
單，簡單到就算沒有意願也會執行，這點非常重要。」

高效小訣竅

　　習慣達成率總表上總共有 8 行可以寫，因此在調整
不同的強度時，建議可以直接換一行書寫，保留整個強
度調整的執行過程，方便自己未來整體回顧。

一次專注在 1 個新項目上就好

　　我們總是會在新年時寫下這樣的新希望：我今年要開始
運動，不僅如此我還要開始吃的健康；除此之外，我還要開
始早睡早起。這麼多原本沒有習慣在做的新項目，一次就想
通通拿下，執行上當然會失敗。

　　習慣的建立不是那麼容易，而人的意志力與專注力又是
有限的。寫下的項目越多，表示每個項目所分到的意志力
與專注力，是越少、越分散的。所以與其同時寫下好多個新

項目，然後每個項目執行起來效果都不大理想，不如先選擇其中你當下最需要養成或戒除的一個項目，把專注力集中放在這一個項目上，等這項新習慣已經做的非常自然了，我們就可以再把專注力放在下一個習慣項目上。

☑ 每週固定要做的「例行公事」

過去，使用者經常會跟我說，他們在使用習慣追蹤格與習慣達成率總表時，覺得不夠用，希望我可以增加更多格子。深入討論後我發現，原來是因為大家都把平時要做的例

每週固定要做的例行公事

M	T	W	T	F	S	S	Everday
						10:00 全連買菜	
18:30 拿中藥		20:30 備課		20:00 洗衣服			

圖表 2-7　例行公事範例

行公事，也都一併當成習慣項目、用習慣追蹤格來管理。於是在之後的內頁改版時，我便在習慣清單下方，新增了例行公事的區塊，以便與習慣項目做區別。

習慣追蹤與例行公事的差別在於，習慣追蹤的用途本是用來「訓練」一個習慣的養成或戒除，並非用來記錄例行公事。對於每週固定要做的例行公事，我們並不會在乎它的達成率是幾 %，我們只在乎自己有沒有記得去做這件事，因此只需要將它們以待辦任務的形式寫在日誌上即可，不需要用習慣追蹤格來追蹤。

把每週固定要做的例行公事都寫下來之後，我們可以再做一件事：把該頁上方的週習慣與日習慣「視覺化」到下方的時間表，依照它該執行的星期與時間寫進下方區塊（圖表 2-8）。

如此一來我們在下方區塊，就可以很直覺的掌握，週一到週日，自己該完成的習慣項目、該去做的例行公事有哪些，以及它們各自的執行時間，在這個時間表上都可以看得一清二楚。

而這張表的主要功能，除了方便我們統一收納這些固定要做的項目之外，它還能夠讓我們在週末準備下週日誌時

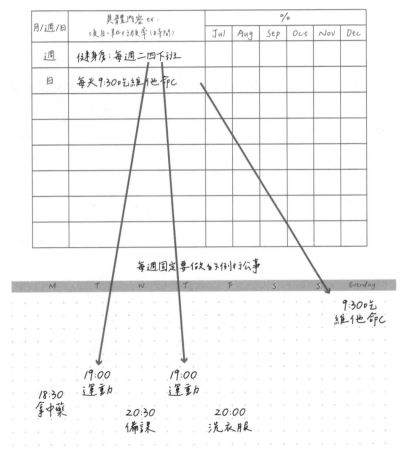

圖表 2-8　把習慣清單視覺化

（在後面日誌的章節會有更完整的說明），只要翻到這一頁，
就可以很快速的把這張表上的每個項目，依照各自該執行的
星期與時間，以待辦任務的形式寫在當天日誌上。比起用頭
腦辛苦記著，讓日誌來提醒我們要記得去完成，簡單輕鬆且
毫不費力。

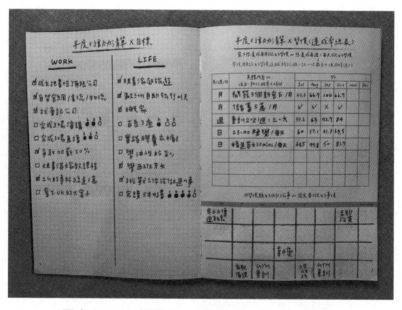

圖表 2-9　目標清單、習慣清單、例行公事範例

| 07 | 未來誌：
不怕忘記好幾個
月後要做的事 |

☑ 未來誌的角色

　　未來誌的功能在於，它可以幫助我們「統一收納」所有「未來一年內」的已知「行程」，以及已知待辦「任務」，也就是說，那些我們安排在好幾個月以後的行程與事件，以及好幾個月以後我們才要做的事情，有了未來誌，通通不怕自己會忘記。

　　未來誌的設計包含了2個區塊，分別是右邊的「小月曆」和左邊的「任務列」（圖表2-10）。

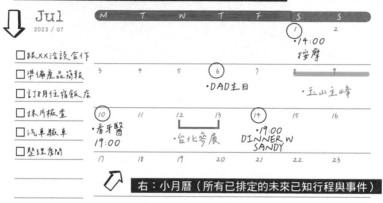

圖表 2-10　未來誌的設計

☑ 未來誌－小月曆（右邊的區塊）

任何已確定、已安排好日期的未來已知「行程與事件」，我們就把它們全部寫到那個月的未來誌小月曆，方便我們統一收納與管理。

針對未來誌小月曆，幾個一定會做的例行動作是：把重要的家人、朋友的生日寫上去；把未來一年內的國定假日與補班日標示出來。除此之外，生活上與誰約好在哪一天要見面、吃飯、出去玩，或是工作上已敲定日期的會議、飯局、

客戶拜訪，也一併在確定日期的當下就把它們寫進未來誌的小月曆收納好。再者，若自己剛好有診所、餐廳、體驗活動等預約，就可以連同時間與日期一起寫下來。另外還有一些比較特定的日期，例如：有在買賣股票的人，就可以把新股上市日、除權除息日、股利發放日都標示上去；考生則可以把放榜日或成績公布日期寫上去……讀者都可以依照自己的需求去把重要的日期標示出來。

☑ 未來誌－任務列（左邊的區塊）

所有我們要在未來某個月份，提醒自己記得去做、去完成的待辦「任務」，我們就把它們全部寫進那個月的未來誌任務列，由任務列統一收納起來。

針對未來誌任務列，有幾個非常實用的用法，第一個：**把自己每固定一段時間就要去做的例行公事，一個個寫到要執行的那個月的未來誌任務列**。例如：驗車、身體檢查、繳費、收款、洗牙、捐血……實際做法就會像這樣：寫在任務列上的每一個待辦任務，時間到了我們會把它們轉移寫到月

誌。接著，會再把它們安排寫到日誌（這部分在後面章節有
完整說明），到了當天，我們如實完成了這件每隔一段時間
就固定要去做的例行公事，在把任務打勾的同時，就記得再
把這件例行公事，寫到下一次要執行的那個月份的未來誌任
務列，如此一來，到了下一次該執行的時間，就完全不用擔
心自己會忘記去做。

　　舉幾個實際的例子：我有一台出廠五年以上未滿十年
的車子，固定每年的某個月都需要去驗車場驗車，如果逾
期可是會被罰錢甚至吊扣牌照的呀！所以每一次我去驗完
車，回家把這項待辦任務打勾的同時，我就會再把這項任
務寫到明年該月的未來誌任務列，所以我沒有任何一次是
忘記去驗車的。

　　另外，像是每兩個月申報營業稅、每三個月固定捐血、
每半年固定洗牙、每半年固定收款、女生每年一次的抹片檢
查……這些固定一段時間就要做、但又很容易不小心就被遺
忘的例行公事，全都交給未來誌任務列就可以囉。

　　除了例行公事，還有第二個也經常會寫到未來誌任務列
的項目是：工作相關的未來待辦任務。在工作上，一定會時
常出現不是當天或當月要完成的待辦任務，這時往往會不知

道該把這些任務往哪邊放，若隨手拿張便條紙寫下，到時候
這張紙都不知道會被丟到哪了。這時就是未來誌任務列登場
的絕佳好時機，只要把每個未來待辦任務寫到預計要執行的
月份的未來誌任務列，統一收納與管理再也不擔心會遺漏。

☑ 是行程還是任務？傻傻分不清楚

關於未來誌我最常被問到的問題是這一題，我們直接
以一個具體情境來看：現在是 2 月，我在未來的 6 月 30 日
有一個重要會議，我除了要參加這場會議，當天還得上台簡
報，所以那個月還必須要把簡報準備好。這樣的情況，究竟
是屬於行程還是任務？我感覺它是一個任務，應該要寫在左
邊的任務列？但是它有一個具體的日期，那應該是要寫在右
邊的小月曆吧？

正確解答：6 月 30 日有一個重要會議，會議屬於行程
的一種，因此我們會在 6 月未來誌的小月曆上，在 6 月 30
日寫上：A 會議 14：00。接著，由於那個月還必須提醒自
己要記得在會議前完成簡報，完成簡報就會是一個那個月要

做的待辦任務，因此我們也會在 6 月的未來誌任務列，寫上：
□完成 A 會議簡報。

　　同理，假設我必須在某月某日完成某件事情，即便有確切的日期，看似好像該寫進去小月曆裡，但別忘了它的本質仍然是一項待辦任務，只要是任務，就要給它任務框框並寫進去任務列做管理（例如：□ 7/15 統一收款）如此一來，這項任務在未來才會被我們寫到該月的本月待辦任務清單，我們才會記得去完成。

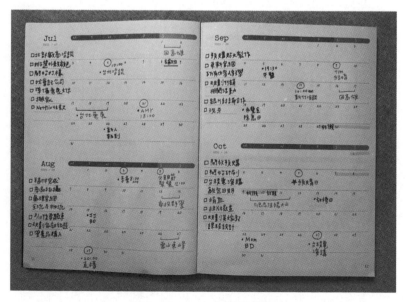

圖表 2-11　未來誌的範例

☑ 未來誌 VS 桌上型月曆

　　大家的書房桌上或辦公室桌上，應該都會擺放桌上型月曆，但是桌曆在使用上並不是太方便，若要看 1 月的行程，需要先翻到 1 月，看完 1 月若想再看 4 月，那得再翻呀翻的翻到 4 月，想了一會兒，決定把 1 月的某個行程改到 4 月，又得再翻回 1 月做塗改，接著再翻到 4 月寫上去，這樣來來回回翻來翻去多麻煩。除此之外，桌上型月曆也沒辦法隨身攜帶，如果在家裡想翻看公司的桌上型月曆，必須等到隔天進辦公室才能看，要不然就是家裡與公司各放一個，那還得兩邊都要記得寫，怎樣都很礙手礙腳。

　　有了未來誌，這些麻煩都可以直接省去。**未來誌讓使用者在翻開後，可以直接一眼清楚看到 4 個月的未來行程與未來待辦任務**，也就是說，針對未來誌，每一個攤開後的頁面，使用者一次可以掌握 4 個月的範圍，因此不管是要做行程的調整、還是任務的移動，都不用再頻繁的翻過來翻過去，可以直接在同一個頁面做修改。若想看未來整整一年份的範圍，也只需要翻 3 次（4 個月 *3 次 =12 月）就可以全部瀏覽一遍。

　　不僅如此，Action 這本功能性筆記本，特地以半年一本的形式來呈現，為的就是要控制它的大小與重量，因為一旦使用 Action，我們生活上與工作上的事情，都會交由 Action 來管理，因此，這個工具肯定是要能夠讓使用者可以隨身攜帶，每天帶去公司再帶回家，而這也是桌上型月曆無法做到的一點。

☑ 行事曆不是打在手機上的 Google Calendar 就好嗎？

　　不可否認，手機上的 Google Calendar 真的很方便也很好用，但我過去不知道發生幾百次這樣的狀況，當下正在工作的我，真的明明只是想要很快速的打開手機查看某一天的行程，然後繼續工作，就是如此簡單的一個動作。然而，拿起手機，看到 LINE 上有未讀訊息，IG 上也有陌生訊息通知，於是就順勢打開 LINE，把未讀訊息全部點開回覆，接著再打開 IG 想要查看陌生訊息，結果又看到一堆限時動態的回覆訊息，一個個全部回覆完畢後，不自覺滑起 IG，滑了 5 分鐘，告訴自己該工作了，於是把注意力拉回到工作內容

上，才發現我完全忘記我拿起手機是為了要查看某一天的行程，就這樣，那邊回覆一下，這邊回覆一下，半小時、一小時就這樣過去，結果我要查看的行程都還沒看到！這樣的狀況真的發生太多次，對我來說這件事真的很浪費時間，於是自從使用 Action 之後，我就再也不把行事曆記在手機上了，很自然的這種情況也就大幅減少很多。

如果讀者過去也有這樣的困擾，這會是一個很有效的改善方式，不過我也知道很多 Action 的使用者，都是兩者並用，所以也要告訴讀者，沒有一定要怎麼用才是對的，只要這樣的使用方式適合自己那就是最好的了！

08　月誌：掌握每月重點任務，不浪費注意力

　　月誌的設計包含了 4 個區塊，分別是：大月曆、本月待辦任務清單、習慣追蹤格、直式月誌（圖表 2-12）。

☑ 使用月誌第一步：每月最後一天，完成下個月的月誌，事先做好準備

　　當新的一個月來臨時，我們才會開始使用當下那個月的月誌，因此在新的一個月即將來臨之前，我們會固定在每個月的最後一天，事先就把下個月的月誌準備好、規劃好，好讓我們能夠從容的展開新的一個月。

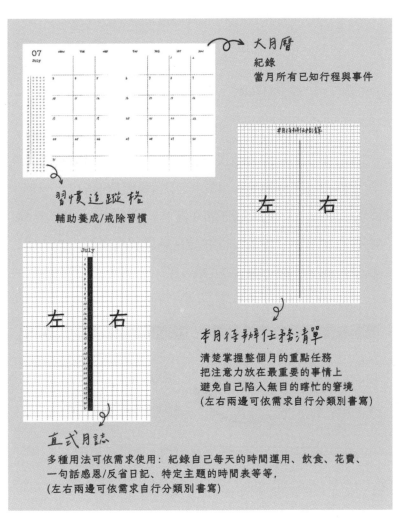

圖表 2-12　月誌的設計

在準備下個月的月誌時，會有幾個簡單的步驟：

把本月未完成的任務，
重新寫到下個月的「本月待辦任務清單」

假設我們在 6 月的最後一天，正在準備 7 月的月誌，在這個步驟，我們會翻到 6 月的「本月待辦任務清單」，把未能如期完成且仍需完成的任務，畫上「延遲執行」的符號（紅色的長右鍵頭），並在當下把該任務重新寫到 7 月的「本月待辦任務清單」裡（圖表 2-13）。

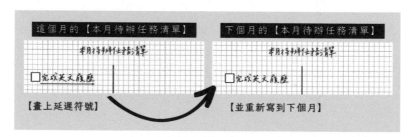

圖表 2-13　本月未完成的任務，重寫到下個月

把「未來誌」的行程與任務，轉移寫到
下個月的「大月曆」與「本月待辦任務清單」

假設我們在 6 月的最後一天，正在準備 7 月的月誌，在這個步驟，我們會翻到未來誌，把我們過去寫在 7 月未來誌上面的行程與任務轉移寫到 7 月的月誌。

① 未來誌「小月曆」的行程與事件

→ 轉移寫到月誌的「大月曆」

② 未來誌「任務列」的待辦任務

→ 畫上轉移符號（短右箭頭）
→ 轉移寫到月誌的「本月待辦任務清單」（圖表 2-14）

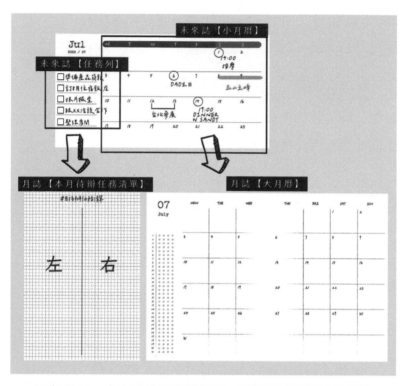

圖表 2-14　未來誌的行程與任務，轉移寫到下個月的月誌

　　看到這邊，大家心中應該已經出現這個疑問：

　　為什麼不在一開始，就把所有的未來已知行程與任務，直接寫到月誌，而是要先寫到未來誌？

　　原因是如果我們把每個月份各自的行程與任務，直接寫到那個月的月誌，這樣當我們要查看某一個月的行程／任務，還要先翻呀翻的，翻到那個月的月誌去；或是當我們同時要查看連續幾個月的行程／任務，就必須要前後翻找；甚至當我們想要調整行程或移動任務時，又得再次反覆翻找頁面，實在是費時又費力。

　　未來誌的功能，就是幫助我們把這些「非當月」的未來已知行程與任務，集中在同一個地方、統一收納與管理，當我們想要看未來某個月份已經安排的行程或任務，翻到未來誌便能看的一清二楚，若需要調整內容，也都可以在同一個頁面進行。

　　理解之後，大家應該還會有另一個疑問：

　　未來誌的內容轉移寫到月誌後，那之後有新的行程／任務，是兩邊都要寫嗎？

　　其實概念很簡單：

當月：使用月誌，不使用未來誌
非當月：使用未來誌，不使用月誌

查看當月的行程／任務：翻到當月月誌
查看非當月的行程／任務：翻到未來誌

我們只有在新的一個月要來臨的時候，才會把那個月的未來誌轉移到月誌，一旦未來誌的內容被我們轉移寫到月誌後，它的使命便已完成，我們就不會再使用它。日後所有當月的行程與任務，都會直接寫到當月月誌裡，因此並不會有未來誌與月誌同時使用的情況。

把「年度目標清單」裡可以在下個月進行的項目，寫到下個月的「本月待辦任務清單」

看一看自己先前列出來的年度目標清單，有沒有哪些項目是可以在下個月完成的，若有，則直接把該項目寫到下個月的「本月待辦任務清單」裡吧（圖表 2-15）！

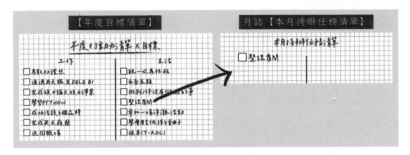

圖表 2-15　年度目標清單→本月待辦任務

把「年度習慣清單」裡的月習慣、週習慣、日習慣，擺放到它們各自的位置

　①月習慣→寫到下個月的「本月待辦任務清單」

　②週習慣／日習慣→寫到下個月的「習慣追蹤格」

　　由於「月習慣」的執行頻率是 XX ／月，因此會把它以待辦任務的形式寫到月誌的「本月待辦任務清單」裡；而「週習慣」與「日習慣」的執行頻率為 XX ／週、XX ／日，這一類的項目會需要進行每週、每天的追蹤，因此我們會把週習慣與日習慣寫到月誌的「習慣追蹤格」上，實際的來做追蹤與記錄（圖表 2-16）。

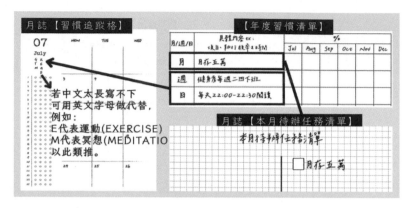

圖表 2-16　把年度習慣清單裡的月、週、日習慣，
　　　　　放到各自的位置

最後再思考，下個月還必須完成哪些事？
一併寫進「本月待辦任務清單」

　　除了已經被寫下來的項目，還有沒有其他沒寫在上面的
的任務或待辦事項，是下個月該去完成的？若有，則直接把
該項目寫到下個月的「本月待辦任務清單」裡吧！

　　以上就是我們在月底最後一天，準備下個月的月誌時，
固定會做的 5 個步驟：

1. 把本月未完成的任務，重新寫到下個月的「本月待辦任務清單」

2. 把「未來誌」的行程與任務，轉移寫到下個月的「大月曆」與「本月待辦任務清單」

3. 把「年度目標清單」裡可以在下個月進行的項目，寫到下個月的「本月待辦任務清單」

4. 把「年度習慣清單」裡的月習慣、週習慣、日習慣，擺放到它們各自的位置

5. 最後再仔細思考，還有哪些事情是自己在下個月必須完成的？一併寫到「本月待辦任務清單」

　　看似好幾個步驟，但實際執行下來，其實不用幾分鐘就可以完成了，藉由這短短的幾分鐘，就足以讓我們在不管是任務管理上或是心態上，都已經準備好進入新的一個月，用掌控感取代焦慮感，就是從這些簡單的小細節開始做起。

☑ 使用月誌第二步：
每月最後一天檢視表現，
為當月畫下句點

在每個月最後一天固定要做的事情，除了完成下個月的月誌，還有這件事：**檢視自己這個月的表現**。在一個月的結束，習慣性的為這個月做一個整體的自我回顧與檢視，可能是大多數人平時不太會去做的事情，但這樣一個小舉動，其實可以大大幫助自己「意識到」平常不會去思考的問題。

在檢視自己這個月的表現時，同樣有幾個簡單的步驟：

翻到這個月的「本月待辦任務清單」，
檢視自己這個月的「任務執行力」

首先，把這個月已完成的任務，都畫上「任務完成」的符號（打勾），並跟自己說一聲：做的好！接著，檢查是否有未完成項目，未完成項目如果已經不再需要去做，便可以畫上「任務取消」的符號（刪除線）；如果該項目仍需要完成，這時就必須把該任務畫上「延遲執行」的符號（紅色的長右鍵頭），並在當下重新寫到7月的本月待辦任務清單裡。

都處理完之後，最重要的一步：花一些時間檢視自己這個月的任務執行力，反思這個月被延遲執行的任務，背後是由什麼原因造成，原因可能很單純，也可能是很深層的，找出原因之後，思考可以如何更有意識的做出調整與改善。

翻到「年度目標清單」，把已完成的目標打勾

看一看年度目標清單上，有沒有已經在這個月完成的項目，若有，則開心的將把它畫上任務完成的符號，同時也要記得給自己加油打氣，鼓勵自己繼續去完成下一項目標哦。

翻到「年度習慣清單－達成率總表」，根據當月實際執行結果，填寫達成率，檢視「習慣執行力」

月/週/日	具體內容 ex： 項目、執行頻率x時間	Jul	Aug	Sep	Oct	Nov	Dec
月	開發3個新客戶/月	33.3	66.7	100	66.7		
月	讀書5萬/月	V	V	X	V		
週	重訓2次/週：三、六	55.6	63	72.7	84		
日	23:00睡覺/每天	60	59.1	61.3	64.5		
日	精進英文30mins/每天	64.5	77.8	50	81.7		

圖表 2-17　填寫達成率，檢視「習慣執行力」

月習慣有兩種填寫方式：

→ 有做到打 ；沒做到打 X，例如：每個月需儲蓄 5 萬，結果當月未存到 5 萬，則打叉。

→ 計算達成率（圖表 2-18），例如：每個月要看 2 個 TED Talk 演講，結果當月只看了 1 個 TED Talk 演講，則可以打叉（視為沒做到）或是寫上 50%（視為做了一半），隨個人習慣。

習慣追蹤格上【週習慣/日習慣】的達成率（%）計算 =

$$\frac{實際執行的總天數}{必須執行的總天數} = \frac{黑點次數(有做到)}{黑點次數(有做到)+紅點次數(沒做到)}$$

圖表 2-18　達成率計算公式

圖表 2-19　上健身房的記錄

　　以圖表 2-19 為例，追蹤的習慣是「每週二四去健身房」在當月所有的星期二與星期四，實際有做到的是 5 天（黑點），而沒有做到的是 3 天（紅點），所以達成率 ＝ 5 除以 3+5 ＝ 62.5%，算出來後就寫到達成率總表。達成率若未達 60%，則可用紅筆寫下（60 分不及格的概念，讀者也可自行定義不及格的數字）。

　　都寫好後，接著最重要的一步：**檢視與反思**。針對那些被用紅筆寫下的項目，花一些時間去思考，造成此結果背後的原因是什麼，進而引導自己去做調整與改善。

　　例如：原因可能是自己設定的項目太難以達成，那就必須去調整成更符合實際狀況的門檻；原因也可能是因為自己對於有沒有執行這個項目其實並不太在意，若是如此那就果斷的把該項目移除劃掉，讓自己只把專注力放在當下最需要養成或戒除的習慣。

　　以上就是我們在月底最後一天，檢視自己這個月的表現時，固定會做的 3 個步驟：

1. 翻到這個月的「本月待辦任務清單」，檢視自己這個月的「任務執行力」
2. 翻到「年度目標清單」，把已完成的目標打勾
3. 翻到「年度習慣清單－達成率總表」，根據當月實際執行結果，填寫各自的達成率，並檢視自己這個月的「習慣執行力」

　　希望藉由這幾個步驟，幫助讀者建立這樣的觀念：比起每天的記錄，懂得做整體回顧與自我檢視是更關鍵的行為。別誤會，每日的記錄也非常重要，持續的記錄可以幫助我們建立一致性，但真正能夠讓我們更加進步、超越過去的自己、甚至超越別人，正是這些不斷自我調整、改善、優化的過程所帶來的自然結果。

　　總結以上：

　　一個月的結束，就會迎來新的一個月的開始，在結束與開始的交際，我們必須做兩件重要的事情，為這個月畫下句點，同時也為下個月做好準備：

→ 復盤這個月的月誌，檢視自己這個月的表現

→ 完成下個月的月誌，為下個月事先做好準備

「事先做好準備與規劃」VS「被時間推著走，想到什麼做什麼」這兩種狀態非常的不一樣。前者可以帶來擁有掌控的安心感，後者則經常會導致瞎忙、窮忙、焦慮感，大家可以自己去感受看看。

高效小訣竅

　　我自己會固定在「每個月的最後一天」做這兩件事，讀者若想再提早幾天完成，或是選擇在每個月的最後一個週末完成，都是可以的。

☑ 直式月誌的使用方式

講完了月誌的「大月曆」、「本月待辦任務清單」、「習慣追蹤格」的使用方式，最後來講一講月誌四大區塊裡面的

「直式月誌」可以怎麼用！

用法一：
記錄自己每天的專注力都放在哪些事情上

圖表 2-20　左右兩邊可以是：上午 VS 下午；上班時 VS 下班後

　　實際執行就會像是：每天下班前或是睡前，花幾分鐘的時間，記錄自己每天的上午 / 下午、上班時 / 下班後，完成的一件重要的事情，如果當天沒有完成什麼重要的任務，就記錄當天時間都花在哪些事情上，假如花了大部分的時間在滑手機、打手遊、跟朋友聊天、追劇、逛網拍……就如實寫下。整個月下來，就可以清楚看到，自己在這個月完成了多少事情，以及浪費了多少時間在哪些事情上（圖表 2-20）。

接著最重要的：根據寫在上面的內容，自我檢視與反思自己在這個月是否有把專注力放在最重要的事物上，並思考下個月可以如何更有意識的做出調整與改善。

用法二：
每天用一句話總結今天想感恩與反省的事情

圖表 2-21　感恩日記 VS 反省日記

懂得感恩，會讓自己更快樂與知足；懂得反省，會讓自己更謙虛與強大（圖表 2-21）。這個「一行日記睡前復盤」用法的實際執行就會像是：每天睡前留幾分鐘的時間給自己好好沉澱，回想當天發生的所有事情，簡短的用一句話寫下當天令自己感恩的人事物，以及反省自己可以做更好的地方。（這個使用方式是過去 Action 使用者在社群分享的創意用法，感謝夥伴的無私分享。）

用法三：記錄特定主題的時間表

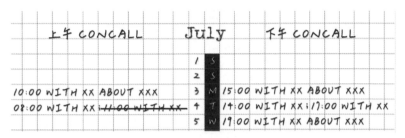

圖表 2-22　上午會議 VS 下午會議

　　假設自己的工作，每天都會有很多線上會議或是需要經常拜訪客戶，這時就可以把每一個會議時間/拜訪客戶時間，統一收納在此，這張表就會是整個月的會議/客戶拜訪時間表，這樣當自己想要查看哪一天的幾點要跟哪個客戶或團隊進行會議，或是哪一天要去拜訪哪些客戶，翻到此頁便一目了然（圖表 2-22）。

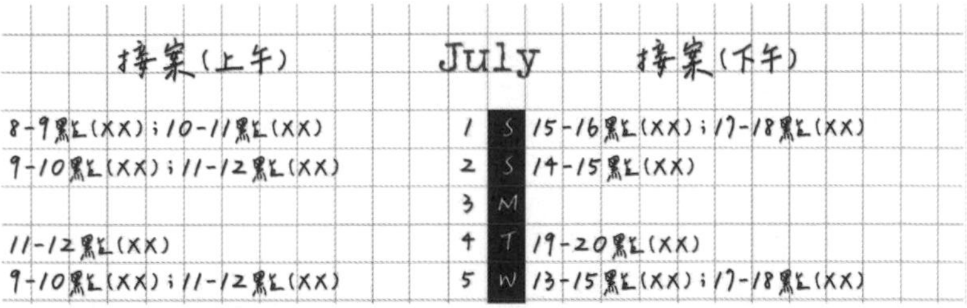

圖表 2-23　接案（上午）VS 接案（下午）

　　假設自己的工作是提供以時計價或接案類型的服務，例
如：家教、諮商、生活服務……那麼就能把這張表拿來記錄
每一個案件的工作時間，每當案件完成時還可以在上面打勾
並寫下收費金額，月底時就可以直接在此頁，結算自己這個
月接了多少案子、獲得多少總收入時，非常方便與實用（圖
表 2-23）。

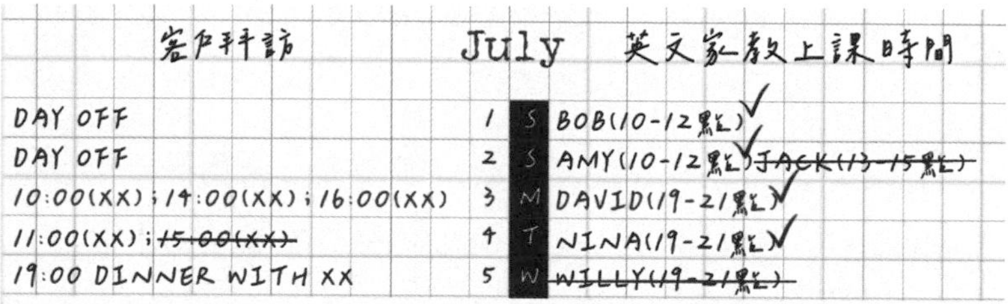

圖表 2-24　拜訪客戶 VS 家教上課時間

　　左右兩邊還可以混合著用，例如：我白天需要拜訪客戶、
晚上要上家教，我就一邊拿來記錄每天拜訪客戶的時間、另
一邊寫下每個學生的上課時間，學生當天是否有確實上課或
請假，我也會在這裡記錄，月底時也會藉由此表來結算學
費，方便又快速（圖表 2-24）。

　　直式月誌的用法非常廣泛，甚至也有夥伴很有創意的拿
來記錄每天的飲食與花費，讀者也可以自由發揮，針對自己

當下的需求去做不同的應用，除了上面提供的使用範例，大
家也可以自行把玩、探索出符合自己需求的創意玩法！

09　日誌：告別瞎窮忙，做到高效率、高產出

　　日誌與月誌一樣，當新的一個月到來時，我們才會開始使用當月的日誌，更具體的來說，我們會在新的一週的來臨時，才開始使用當週的日誌。日誌記錄的是所有大大小小當天我們需要完成的任務與待辦事項（圖表2-25）。有了日誌，提醒自己要做什麼事的便條紙不用再貼的到處都是，使用日誌不只能夠大幅改善「經常忘記做這個、忘記做那個」的老

這一格可以拿來寫當週重要任務、記錄一些突如其來的好點子、紀錄心情、寫語錄、歌詞、畫圖等。

每個月結束也有再放2頁空白頁，給大家在月底時可以用來整理思緒、或是紀錄一些事物或想法。

	週一	週二	週三
週四	週五	週六	週日

圖表 2-25　日誌的設計

毛病，還可以避免讓自己陷入「想到什麼就做什麼」的低效率低產出模式。日誌讓我們能夠事先規劃、準備好每天該做的事情，這讓我們能夠專注把時間與注意力放在對的地方，不讓自己身陷無目的瞎忙的窘境。

　　使用日誌有三個重要的例行公事，我稱之為收心小儀式，藉由這些小儀式，能夠大大的幫助自己收心、安撫內心的焦慮怪獸，並讓自己在心態上可以為新的一天、新的一週做好準備。

圖表 2-26　日誌的範例

☑ 週末收心小儀式：
完成下週日誌，檢視當週的表現

在新的一週來臨之前，我們會固定在每個星期天的晚上，完成週末的收心小儀式，除了讓我們可以準備好展開新的一週，同時也是安撫自己收假前的恐慌焦慮感。

第一步：完成下週日誌

1. 翻到當月月誌的「本月待辦任務清單」

把在這週完成的任務打勾，接著看看清單上有哪些任務是必須在下星期完成、或是可以被安排在下週執行，就直接把它們寫到下週的日誌，並畫上待辦任務符號框框。

2. 翻到當月月誌的「大月曆」

把下週一至下週日的行程與事件，依照它們各自的日期，一個個寫到下週的日誌，並畫上事件符號（實心圓）。（例如：· 11：00 主管會議）

3. 翻到當月月誌的「習慣追蹤格」

把習慣追蹤格上要進行追蹤的項目，依照自己設定的執行頻率與時間（例如：星期幾、幾點到幾點），一個個以待辦任務的形式寫到下週的日誌，並畫上待辦任務框框。（例如：□ 20：00 ～ 21：00 健身房重訓）

4. 翻到年度習慣清單下方的 「每週固定要做的例行公事」

把要提醒自己每週固定要做的例行公事，依照自己設定的執行時間（例如：星期幾、幾點），一個個以待辦任務的形式寫到下週的日誌，並畫上待辦任務框框。（例如：□ 20：00~21：00 洗衣服）

5. 還有什麼其他必須在下週完成的事情嗎？

最後再花幾分鐘想一想，除了寫在清單上的任務，還有沒有什麼事情，是下星期必須完成但還沒被寫上去的？若有，則一併把它寫進下週日誌。

高效小訣竅

　　在完成下週日誌時，如果已經知道自己會在哪 一天執行該任務、或者可以事先安排，就直接寫到那一天的日誌上；如果該任務是下週必須完成，但還無法決定要哪一天執行，這時就可以先放到左上角的空白格，把空白格做為「當週重點任務」，這樣當自己每天在翻看日誌時，左上角的空白格，就會不斷提醒自己，這裡還有尚未被安排執行時間的任務們，要記得找時間把它們安排到本週的某一天執行，安排好之後便可為空白格上的任務畫上轉移的符號。

第二步：檢視自己當週的表現

先檢查一下當週日誌上，是否有未完成的任務，若有，則把該任務畫上延遲執行的符號（紅色的長右箭頭），並在當下把該任務重新寫到下一次預計執行的時間點。

接著，利用幾分鐘的時間，檢視自己當週的「任務執行力」：看看是「完成」了大部份的任務？（那麼請跟自己說一聲：做得好！）還是「拖延」了大部分的任務？（那麼也別氣餒！）請好好花些時間反思自己拖延的原因，接著思考可以如何做出相對應的改善。

週末收心小儀式兩步驟都完成後，心也靜下來了。

高效小訣竅

如果不想在週末完成週末收心小儀式，那也可以自行改成每週五下班前，自我檢視這週的表現，以及完成下週日誌，把下週哪一天要完成哪些事都先安排好、寫好，這樣星期一上班的時候就可以直接進入狀況。

☑ 每晚睡前關機小儀式：
　處理完當天的日誌，並完成明天的日誌

使用日誌有一個很重要的事情，那就是「當天要處理完當天日誌」。因此每個晚上，我們都會固定完成以下這 3 個小步驟：

1. 檢視當天日誌上的任務是否都完成？

完成的任務打勾；沒有完成的任務若已不需要完成，則畫上任務取消符號（刪除線）；沒有完成的任務若仍需要完成，那麼請把該任務畫上任務延遲符號（長又箭頭）接著在當下就把該任務重新寫到未來你預計要執行的時間點，並且反思自己沒有完成的原因是什麼。

2. 當天要追蹤的習慣項目是否都完成？

若已確實完成，請到月誌的「習慣追蹤格」把該項目當天的圈圈塗黑色；若未如實完成，則把該項目當天的圈圈塗紅色，並反思自己沒有完成的原因是什麼。

3. 完成明天的日誌，把明天要做的事寫的更完整

　　雖然在週末時，我們就已經有預先完成接下來一週的日誌了，然而在當下一定都還會有新的任務出現，所以我們也會在每晚睡前，再花幾分鐘的時間想一想，

　　除了原本已經寫在隔天日誌上的待辦任務，還有沒有什麼事情是明天必須做的呢？若有，則一併把它們寫到明天的日誌。這個小舉動，除了能夠把明天要做的待辦清單寫得更完整，同時也是把腦袋裡記著要提醒自己明天做的事情都清空，讓腦袋可以好好休息、睡覺，讓筆記本去發揮它的功能。

高效小訣竅

　　如果不想在睡前完成每天晚上的關機小儀式，那也可以自行改成每天下班前，處理完當天的日誌，並完成明天的日誌，這樣隔天上班的時候就可以直接進入狀況。

☑ 每天早上開機小儀式：
把 Action 翻開放桌上，
開始一天的工作

1. 每天開始工作前的第一件事，一定是翻開 Action，
   依照當天日誌上寫的待辦任務清單，開始進行自己
   一天的工作。

2. 一天當中隨時翻看當天日誌，反覆確認當天還有什
   麼事情還沒完成。

3. 在一天的任何時候，隨時把突如其來的任務、或是
   手上還沒完成但必須先放下的事情，就直接習慣性
   地一併寫進在當天的日誌裡。這樣當自己處理完那
   些比較緊急的事情、要來看看當天日誌上還有什麼
   還沒完成的任務時，便會看到先前手上做到一半被
   暫停的任務還沒完成，就再接著做下去就好囉。只
   要有把任務寫下來，就不用擔心同時要處理好多事
   情的自己，會不小心遺漏了該做的事情。

4. 若當天要外出不方便攜帶筆記本，則可把當天日誌
   用手機拍下來，接著一樣依照上面的待辦任務清

單，一個一個去執行。

5. 若筆記本不在身上，但突然想到幾件需要寫在筆記
　本上的事情，則可先打在手機備忘錄，等自己能寫
　筆記本的時候，再把它們一一寫進去。

以上分別是使用日誌的三個重要小儀式。下面補充 3 個
夥伴們在過去經常會問到的問題：

1. 如果突然想到最近必須完成某件事，究竟是該把這個任務寫到月誌的本月待辦任務清單，還是寫到日誌呢？

很簡單！就看這個任務是什麼時候必須完成，來決定要把它寫到哪裡：如果是當週要完成，則直接寫到當週日誌；如果不是當週要完成，但是是這個月要完成，那麼就先寫到這個月的本月待辦任務清單，週末在準備下週日誌時，時間到了它自然會被寫到日誌裡；那如果不是這個月要完成，而是在未來某個月才需要完成，那就把它寫到未來誌的任務列，時間到了它自然會被轉移寫到月誌，然後再被寫到日誌。

2. 在把未來誌的任務寫到月誌時，我們需要畫上轉移符號，那麼把月誌的任務寫到日誌時，需要在本月待辦任務清單上畫轉移符號嗎？

當我們把月誌的任務寫到日誌上時，通常不會畫轉移符號，原因是我們會把月誌的本月待辦任務清單，做為整個月份的回顧與檢視，如果看到很多任務都打勾，這樣的小小成就感與勝利感，都是一種給自己的鼓勵，但如果都是以轉移的方式處理，就會少了這樣的感受。同理，我們會把年度目標清單做為整年度的回顧，因此當我們把年度目標清單上的任務寫到月誌時，也不會畫轉移符號，只會在任務完成時，再翻到目標清單打勾。

所有的規則，目的都只是讓大家可以比較容易照著做，大家都還是可以用自己喜歡、習慣的方式去做不一樣的使用哦。

3. 週末在完成下週日誌時，如果是「日習慣」，也需要把該習慣項目以待辦任務的形式，寫到每一天的日誌上嗎？

沒錯！但如果覺得太麻煩、不想這樣寫，這邊提供另一

種做法，方便提醒自己記得每天做：

　　每天要做的習慣，大多時候都是固定在同一個地點執行，例如：房間、辦公室、電腦前……那麼就可以自行把該習慣項目寫在一張紙上（例如：早上 10：00 吃保健食品）然後黏貼在一個自己每天在這些地點可以清楚看到的地方，有助於提醒自己要記得做。

　　好的，那麼來總結使用日誌的三個重要小儀式：

1. 週末收心小儀式：完成下週日誌，並檢視自己當週的表現

2. 每晚睡前關機小儀式：處理完當天的日誌，並完成明天的日誌

3. 每天早上開機小儀式：把 Action 翻開放桌上，開始一天的工作

　　當我們每一天要做的事情，都是經過自己深思熟慮後，所事先規劃出來的內容，我們就不會再瞎忙。當我們每天都能夠專注於完成當下最重要的事情，長期下來，高效率、高產出的表現，就是自然產生的結果。任務的完成需要專注力與執行力，而使用日誌，就是在幫助我們訓練、培養這些能力！

第 3 章

讓人生不留遺憾的
目標實踐法

10 ✓ 目標確認：決定在何時完成什麼目標

在第 2 章的年度目標清單，我提供了輔助思考的 6 種目標類型，難度由易到難分別為：動作類、體驗類 / 嘗試類、學習類、考試類、個人目標實現類、計畫擬定類。

在第 3 章，我要告訴大家，在所有大家寫下來要完成的目標裡，只要這些目標不是屬於單純的動作類（例如：整理房間、完成履歷）或是簡單的體驗類（例如：體驗高空彈跳），而是屬於具有相當難度與複雜性的學習類（例如：一年後學會用日文進行商務對話）、考試類（例如：研究所考試半年準備）、個人目標實現類（例如：年底完成碩士畢業論文）、計畫擬定類（例如：完整的創業計畫），我們就必須要對它展開下一步：目標規劃。

　　對於動作類與體驗類，我們通常只需要決定要在什麼時候去做這件事，然後時間到了就去做，因此在執行上十分單純。而後面四個類別則會牽涉到像是這樣的問題：具體上該怎麼執行？該從哪些方向去準備？有哪些方法、步驟？每個動作的執行先後順序是什麼？要在多少時間內完成哪些事？整個目標的執行進度表長怎樣？……在執行上可是一點也不簡單，因此我們必須耐心的一步一步來處理它。

　　如同前言所說：人們之所以沒辦法做出行動，並非因為沒有「行動力」，而是因為缺乏一個「完整的執行計畫」，簡單來說，就是不知道具體上該怎麼做。

　　這也是為什麼很多人在設定了學習類、考試類、個人目標實現類、計畫擬定類的目標之後，最終總是以失敗收場的原因，因為大多數人只是單純的把目標寫下來，或者只是在腦中想著我要完成這個目標，而沒有實際去做下一步的目標規劃，那麼目標沒能實現也是非常正常的。

　　不過別擔心，這一次我們可以有不一樣的結果，因為在第 3 章，我會讓讀者們都可以學會這套從目標規劃到目標完成的「目標實踐法」。目標實踐法總共有 5 個步驟：目標確認→目標拆解具體化→目標視覺化→目標時程化→目標執

行，這五個步驟，概念明確、簡單、不複雜，但是威力卻非常強大，任何目標只要經過這五大步驟的洗禮，實現目標的那一刻便指日可待。

在目標實踐的第一步「目標確認」，我只需要大家做一件事：為自己的目標，設定好具體的時間 When（例如：6個月後、一年後），以及要達成的事情 What（例如：為研究所考試做好準備、用日文進行商務對話），並且寫到自己的目標清單上。

相信每個讀者心中都有自己想完成的事情，不管大或小。把目標確認好之後，接著就讓我們進入超級重要的第 2 步驟吧！

11 ✔	目標拆解具體化： 知道怎麼做之前， 繼續找答案

一旦設定好目標後，第二步就要來拆解目標、將目標具體化。這時候就是「九宮格」登場的時機。

行動力子彈筆記本帶有兩種九宮格，第一種是設計在內頁裡面的 3×3 小九宮格（圖表 3-1），第二種是於每本獨立附贈的 9×9 曼陀羅九宮格（是一張大小為 A2 的大紙，如圖表 3-2）。

3X3九宮格思考法
小目標拆解 | 目標具體化

Note

圖表 3-1　3×3 小九宮格

圖表 3-2　9×9 曼陀羅九宮格

☑ 9×9 曼陀羅九宮格怎麼用？

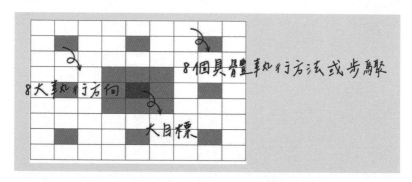

圖表 3-3　9×9 曼陀羅九宮格的設計

　　一個曼陀羅九宮格帶有三層意義，由內而外分別是：**制定目標→執行方向→具體執行方法或步驟。**

　　正中間的格子填入自己的一個大目標（第一層：制定目標）；接著以此為核心向外延伸思考，為了完成這個大目標，可以從哪八個大方向去著手規劃，把所需考量的 8 大執行方向寫下來（第二層：執行方向）；然後再以這八個執行方向為核心，**繼續向外延伸思考**，針對每一個大方向，執行上分別可以有哪些具體的方法、步驟、行動、選擇，列出最精準、最有參考價值的 8 種，把它們寫到九宮格裡（第三層：具體執行方法）。

☑ 3×3 小九宮格怎麼用？

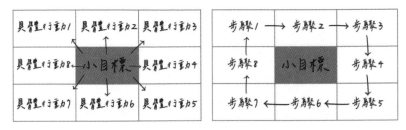

圖表 3-4　3×3 小九宮格的設計

一個 3×3 小九宮格帶有兩層意義，由內而外分別是：制定目標→具體執行方法或步驟。

小九宮格在使用上較為簡單，正中間的格子填入自己的一個小目標，省去中間層的 8 大執行方向，直接向外延伸寫下為了達成該目標，可以採取的最精準、最有參考價值的 8 個具體執行方法、步驟、行動、選擇是什麼。

☑ 該用 9×9 曼陀羅九宮格，
還是 3×3 小九宮格？

該用哪一種九宮格，完全取決於目標的複雜度與困難程度，倘若是一個需要從許多方面去進行、去深入規劃的大目標，就會使用曼陀羅九宮格；反之，如果是一個較為單純的小目標，則使用小九宮格即可。

即使是同一個性質的目標，也會因為難度的不同，而使用不同的九宮格。以「學攝影」為例，如果目標是要學到精通，成為專業的攝影師，那就需要使用曼陀羅九宮格來做一個完整的規劃；如果目標只是要學會一些簡單的拍攝技巧，好讓自己平時發文的照片可以好看一些，那就可以使用小九宮格簡單規劃就好。

☑ 開始當偵探找答案

了解九宮格的用法後，接著我們必須開始去尋找所有我們需要的答案，在這一步，我們必須練習學著自己去找出，

在這個九宮格裡面的「8 大執行方向」與「8 個具體執行方法」分別是什麼。

找答案的過程非常不容易，我們必須盡可能的去做我們該做的功課、去查我們該查的資料、去請教每一個能夠提供我們協助的人。這其中一定會需要投入大量的時間與精力，但是要記得，目標的實踐本無捷徑，為了讓自己的目標能夠真的實現，這是一個必經的重要步驟，每一步認真地做、扎實地走，所有努力最終都會有成果，因為我們並不是在盲目努力。

為了讓大家對於「該如何去找答案」能夠有比較具體的概念，以下整理出我自己在找答案時，經常使用或是曾經使用過的 11 種方法。

1. Google 各種不同的關鍵字組合，並善用搜尋技巧

從最簡單的單詞搜尋：如何 XXX、XXX 的方法、XXX 懶人包、XXX 經驗分享；到很多變的多詞搜尋：XXX（主題）XXXX（年份）、XXX（主題）XXX（特定機構單位）XXX（特定指示）……。**多詞搜尋的重點就是，盡情發揮**

創意、嘗試搜尋各種不同的單詞組合，並搭配不同的搜尋技巧（網路上都有「Google 搜尋技巧」的整理）經常可以找到自己需要的內容。

我在剛出社會工作時，非常善於利用 Google 找到關鍵資料，有一次主管出差，剛入職的我閒來沒事，就用了各種英文的關鍵字的組合，想要碰碰運氣看能不能挖到寶，最後真的被我找到某個對公司而言具有高度商業價值的關鍵資料，那次的尋寶經驗不只讓我贏得主管的賞識，更在我離職好幾年後，前同事還私訊告訴我，主管有時嘴上仍會說著當初我找到的那份資料有多好用。藉由這個故事，希望可以幫助大家建立這個重要的觀念：那些我們想知道的事情，大概有七八成，都可以從 Google 上找到解答，培養優秀的搜尋能力，不管是在工作上還是生活上，都可以為我們帶來很大的幫助。

2. 使用網路上的各種免費資源

生活在這個資訊氾濫的時代，網路上的免費資源，例如：YouTube、Blog、Instagram、 PTT……真的非常豐富且完整。

當我在架設把書吃了官網時，因為我要架的並不是簡單

的一頁式形象網站，而是含有首頁、產品頁面、部落格等多頁式的完整網站，並且需要具備金流、物流、會員管理、訂單管理等多項功能。如果外包請人做，可能需要 15 萬～ 20 萬元甚至更多，由於沒有這筆預算，所以決定自己想辦法，但偏偏我又是一個標準文組腦的女生，自架網站這件事在我的認知裡根本是一件不可能的事情。從一開始的毫無頭緒，在經過了兩個月的的時間研究、操作、優化調整、撰寫網站內容與製作圖文教學……最後真的成功架出一個自己非常滿意的多頁式並具有購物車等功能的完整網站，而這一切都是憑藉網路上免費資源的幫助之下所完成的。

所以當遇到問題或困難時，一定要懂得善用這些免費資源，並帶著一顆感恩的心。

3. 閱讀相關書籍

倘若自己想要學習的事情，在網路上並沒有很完整的教學或說明，那就去找書來看吧。**每一本書，都是每個作者在他們自己專業領域所學的精華集結**，我真心認為，沒有什麼是比看書還要更直接、快速、有效、省錢的學習方法了。

在沒有花任何一毛錢下廣告的前提之下，行動力子彈筆

記本自首次開賣以來，每一次的銷售，最終的成績都相當的不錯，當然，一個成功的商品，背後肯定是由多個關鍵因素所促成，但 Action 能有好成績，其中一件非常重要的事情，就是我「行銷」做的很好。

咦？可是我過去完全沒有學過行銷、也沒有任何行銷相關經驗或背景，我為什麼懂行銷？原因就是我大量閱讀行銷相關的書籍，這一路我一邊看書、一邊學習、一邊實際操作、學以致用，就這樣一個沒學過行銷的人，也可以無師自通，書籍可以帶給一個人的力量就是這麼大。

4. 請教專業人士

專業人士指的是，自己想要請教對方的事情，是對方職業範圍內的工作內容，或是對方有在收費的服務項目。

一開始決定要製作行動力子彈筆記本之前，我很擔心會侵犯到子彈筆記原創者的智慧財產權，我甚至寫信到對方的官方郵件，但沒有得到回信。我想了想，決定把這個問題交給專業人士來回答，於是我就到專利事務所諮詢，最後確認了這件事情不會為我引來法律問題，我便放心的展開後續一系列的動作。

　　因為子彈筆記的一大特點，是讓每個人都可以自由發揮畫出最適合自己、擁有自己風格的內頁，它並沒有一個固定的格式或樣式，而我是把這樣的筆記概念，創造了固定的模版變成一個實體工具，然後再加上自己的一套目標實踐法在裡面，因此並無侵權。

　　專業人士除了可以是不認識的人或是各種來源，也可以是身邊的朋友，或是朋友的朋友：如果是簡單的問題，可以碰碰運氣禮貌的請教對方，看對方願不願意提供自己的專業意見；若需要涉及較大層面的討論，則可以看對方願不願意讓自己請吃頓飯，一起討論看看；甚至可以直接以付費的方式向對方諮詢。

　　最後，向專業人士請教時，不管是免費諮詢或是付費諮詢，都一定要先做好自己的功課，清楚知道自己的需求是什麼，並且事先列好所有想問的問題，才不會浪費對方的時間。

> 　　若以免費請教的方式向對方詢問而被對方敷衍或拒絕的話，都是很正常的事，因為沒有人有義務向別人免費提供自己的專業服務，若對方願意免費提供指引，那是自己賺到囉。

5. 請教有相關經驗的朋友

　　相較於專業人士，有相關經驗的朋友就是自己想請教對方的事情，可能不是對方的專業領域所學，但是對方有實際的操作經驗，而經驗就是最有價值的東西，這時就可以禮貌的請教對方，在受到對方的幫助之後，也別忘了給予回報。

　　例如：在我成立公司之後，許多計畫著創業的粉絲，都會紛紛來向我請教開公司的相關問題，這時我就是這些粉絲的「有相關經驗的朋友」，而粉絲在採用了我提供的建議、並成功開了公司之後，很興奮開心的私訊我向我致謝，特地告訴我、讓我知道我的經驗真的為他幫上了忙，這對於提供幫助的人來說就是最棒的回報了。

6. 與厲害的朋友一起討論

假如身邊都沒有相關經驗的朋友，也可以相約身邊經常廣泛學習、有想法、有遠見的厲害朋友，一起討論自己遇到的問題、困難，或是自己有什麼想法或點子，也可以與這些朋友一起發想，討論這些想法潛在的可能性，或是可能可以從哪些方面去著手進行⋯⋯。

決定製作行動力子彈筆記本以前，我也曾個別與多位優秀的好友見面討論這個想法，雖然我們都沒有商品製作的經驗，但我總是能夠從一次次的討論過程中，與好友一起碰撞出不一樣的想法來，這樣的經驗可說是非常難得可貴。

7. 觀察別人做事的細節並試著自己分析

經營 IG 粉專的這兩年多，我很喜歡做的一件事情，就是去觀察流量很好的粉專帳號。我會試著從細節之中去找線索，像是觀察對方是從什麼時候、做了什麼事情，因而粉絲大增；我也會去分析對方能夠長期維持高流量背後的原因可能是什麼。

　　不過因為我不喜歡做別人做過的事，也不希望自己的經營風格受別人影響，所以我從來不會去參考跟我經營同樣主題的帳號，我觀察的對象都是跟我經營的主題毫無關聯的帳號，這點跟常理上「複製跟自己做一樣的事情、但做得很成功的人的模式」是比較不一樣。

　　經觀察分析後，如果自己有得出一些結論，我就會去思考，可以如何把這個東西用不一樣的方式轉換應用到我正在做的事情上，即使最後我沒有實際把這個想法「做」出來，但這樣的思考過程，真的非常好玩，可以練習培養自己的創意思維。

8. IG 限動詢問

　　如果有一個簡單的問題，但不知道可以問誰，或者是想要聽聽大家的想法，這時就可以利用 IG 的限動，向 IG 上的朋友們詢問。

　　例如：在一開始經營 IG、對於貼文的製作還一知半解時，我經常看到別人在貼文裡放置可自行調整視窗大小的影片，同時還可以放照片、上字樣，我就很好奇到底是怎麼用的，拿這幾個描述問了 Google，Google 也聽不懂我在問什

麼，但我用同樣的描述放在限動上詢問，馬上就有人知道我在說什麼，並很快的幫我解惑。

所以一些簡單的、適合拿來問大眾的小疑問，IG 限動很可以派上用場。

9. 付費的實體課程、線上課程

如果在網路上的免費資源，找不到自己要的東西，或是覺得網路上的免費資源太零散，需要的是一個很全面完整的教學內容時，這時就可以在付費資源的世界裡，例如：Hahow 好學校、Udemy、KOL 開設的實體課程、家教……尋找符合自己當下需求的內容。

例如：我有一份工作是在軟體外商擔任 BD，有一陣子我負責開發的軟體，因為工程師離職而造成進度停擺，在幫忙公司找人的同時，我也利用那段時間，買了 Udemy 的線上課程，自學 CSS、HTML、一點點的 Javascript，藉由這些課程幫自己建立了相關的基礎概念後，日後與工程師進行網頁前端的溝通時，我便可以試著用工程師的語言與對方討論，提升彼此的溝通效率。

10. 參與線下活動

　　線下活動如講座、研討會、讀書會、見面會……參與這些活動讓我們有機會面對面認識平常不會接觸到的人物，或是吸收平常不會接觸到的知識。

　　這些活動經常會有講者與聽眾的 QA 環節，自己還可以預先準備好想要在現場提出的問題，而且最好是自己在現實生活中遇到的真實問題，如果講者可以直接針對自己提出的具體問題去做一個解答或建議，這簡直是免費賺到一個本質上是付費諮詢的專業建議。

　　我曾經受邀參與「亞洲創作者大會」的講座活動，在活動當天以前，我都是抱著去玩耍的心態。但實際上那天活動帶給我的感受，是非常大開眼界、意猶未盡的。我從多位自媒體大師的演講中，學習到許多關於自媒體經營的震撼教育、商業模式……這是我去參加之前未曾想像會有的收穫。

　　線下活動總是能夠帶給參與者一些意想不到的感受與額外收穫，我想這就是線下活動的魅力所在。

11. 加入相關的 LINE 社群或臉書粉專

LINE 上面有各種不同主題的社群，很多粉專或 KOL 也都有成立自己的社群，我們就可以從這樣的媒介去尋找自己當下需要的社群加入。社群除了是一個可以跟創辦人近距離接觸的地方，同時也可以看到其他有相同興趣或目標的群友們分享的內容，是一個可以讓自己在正向積極的氛圍下快速學習與成長的環境。

有一次我看了《專買黑馬股 2：從魚頭吃到魚尾的飆股操作法》這本股票操作的書籍，因為很認同作者楊忠憲的操作手法，所以在看完書之後，抱著希望可以再繼續跟他學習的心態，我便上網搜尋找看看有沒有他經常出沒的網路空間，從他的臉書上我發現作者有成立自己的股票社群，在社群裡作者每天都會針對當天的盤勢提供客觀的分析。賓果！就這樣我幫自己找到了一個能夠繼續跟著作者學習的方法了。

總結找答案的 11 種方法：

1. Google 各種不同的關鍵字組合，並善用搜尋技巧

2. 使用網路上的各種免費資源

3. 閱讀相關書籍

4. 請教專業人士

5. 請教有相關經驗的朋友

6. 與厲害的朋友一起討論

7. 觀察別人做事的細節並試著自己分析

8. IG 限動詢問

9. 付費的實體課程、線上課程

10. 參與線下活動

11. 加入相關的 LINE 社群或臉書粉專

找答案的方法有非常多種，當然不只有這些，自己想的到的方式都可以去嘗試，找方法的一大重點就是：**不要只是嘗試其中的「一種」方式，這樣是絕對沒辦法把拼圖完整拼**

出來的，一定要多方嘗試，並且反覆做，試了一個方法效果
不好，再嘗試另一種方式，直到自己把所有想要找的答案都
找到。

在架設「把書吃了！」的官網時，雖然我絕大部分得到
的幫助都來自網路上的免費資源，但我還是會遇到一些技術
性問題，是我在網路上找不到直接的答案、或是網路上的解
釋太複雜我看不懂的，這時我也會積極求助於身邊很厲害的
工程師朋友（方法 4：請教專業人士）；另外像是在處理網
站上的金流時，我一開始也是都搞不清楚狀況，後來能夠處
理好也要感謝一位與我友好的老闆提供的指引（方法 5：請
教有相關經驗的朋友）。

在尋找答案時，一定要積極、不嫌麻煩、也不能懶惰，
因為懶惰無法為自己帶來解決辦法，如果想要實現目標，就
要耐心的把路上遇到的巨石跟小石頭，一個個搬開來。記得
這句口訣：直到自己知道具體上該怎麼做以前，我們得繼續
拆解、找出答案。

希望大家在閱讀完這一章節，都已經具備了尋找答案的
精神並建立正確的心態，接著就讓我們繼續前往目標實踐的
第 3 步驟吧！

12 ✓ 目標視覺化：一個完整的執行計畫出爐

在目標實踐的第 4 步驟「目標視覺化」，我們就會完成九宮格裡面的所有內容，至於該怎麼完成，就請大家繼續看下去囉。

☑ 先用 Excel 草擬九宮格內容

一開始在規劃自己的九宮格時，一定會反覆調整、修改裡面的內容，所以如果一開始就直接用筆寫在紙上，後續在反覆塗改時就會比較麻煩，因此我固定都會先在 Excel 上自己拉出一個 9x9 的曼陀羅九宮格、或是 3×3 的小九宮格，等之後 Excel 裡的九宮格內容都填寫、整理的差不多，這時

我就會把它們一格一格寫到紙上。

☑ 九宮格該怎麼填？
（後面內容皆以曼陀羅九宮格做說明）

首先，把自己的大目標，填寫到正中間的格子。接著，先自己思考、發想、模擬、想像：若要完成這個目標，可能可以從哪 8 個執行方向去進行呢？以及針對每一個執行方向，可能可以有哪些具體的行動呢？

這時候的自己，腦袋應該是很混亂的，但沒關係，我們就先把在腦袋裡亂竄的任何想法，填到九宮格，填寫時不用太拘泥於每一個項目在九宮格裡擺放的位置，因為後續都會持續調整，在一開始的階段我們先粗略的求「有」就好，因為這時候最重要的事，就是讓自己能夠為這個目標踏出第一個小步伐。

接著，就準備展開一系列的找答案之旅啦！找答案的方法在上一個章節已經非常具體且完整的交給大家了，所以別再說：我不知道該怎麼做，或是我不知道九宮格該怎麼填。

在說出這些話之前，請先自問：Google 上的資料我都查過
了嗎？網路上的免費資源我都看過了嗎？我找書來看了嗎？
我是否已經向專業人士詢問？是否已經向有相關經驗的朋友
請教？是否有與身邊屬害的朋友一起討論過了？所有我能做
的事情我都做了嗎？

☑ 將資訊分類收納

　　雖然一開始我們對於該如何把蒐集而來的資訊，分門別
類放到 8 大執行方向與 8 個具體方法的格子，會感到困惑與
不確定，所以在規劃的初期一定會頻繁的去調整修改每一個
格子的內容，以及移動每一個資訊擺放的位置，這都是非常
正常的。

　　在規劃的中後期，隨著自己做出越多的行動，就會得
到越多的答案、激發更多的想法，我們對這個目標的執行
藍圖就會越清楚，當我們對整個執行計畫的理解程度越高，
就會知道該怎麼更有效的去分類與分配每一個格子，到那
個時候我們自然就會知道要把那些無家可歸的資訊們放在
哪一格了。

高效小訣竅

　　填寫的過程中若遇到不知道要把內容放在哪一格的時候，這時我會把這些暫時無家可歸的資訊們，打在 Excel 九宮格以外的空白處。

☑ 格子不夠寫？按照屬性合併內容

　　規劃九宮格時，大家經常會遇到一個問題：格子不夠寫怎麼辦！

　　一個曼陀羅九宮格包含了 8 個執行方向，以人類有限的注意力與專注力來看，要從 8 大方向去執行，已經是很不容易了，所以如果在大方向上超出 8 個的話，會建議繼續思考可以如何重新調整與分配。

　　若是 8 個具體執行方法、步驟、行動、選擇的格子不夠寫，這時就會需要運用到合併的技巧，該如何合併？很簡單，按照它們的屬性。例如：我在規劃「販售行動力子彈筆

記本」的九宮格時，其中的一個大方向是「成本計算」，裡面的 8 個格子我原先寫了：印刷成本、打樣費用、AI 印刷檔案製作費、紙盒、氣泡袋、倉租、進出貨費、訂單處理費，寫到這 8 個格子已經都寫滿了，但我還有好多支出項目還沒寫進去，於是我就依照它們的屬性適時的合併內容：我把 1 ～ 3 項，合併寫在同一格，並在左上角寫著小字「印刷廠端」；把 4 ～ 5 項合併寫在同一格，並在左上角寫著小字「包材類」；把 6 ～ 8 合併寫在同一格，並在左上角寫著小字「倉儲公司端」。經調整後，這 8 個項目就只占用了 3 個格子，我便多出 5 個格子可以寫。

☑ 去蕪存菁

　　尋找答案的過程中，我們一定會蒐集到越來越多跟該目標有關的資訊，裡面可能有非常重要、與目標有高度相關的內容，也可能會有價值性較低的次要內容，這時候我們必須試著將這些自己蒐集而來的大量資訊，去蕪存菁，只留下對於執行該目標真正重要、且具有高度參考價值的資訊。

☑ 邏輯思考能力的培養

產出一個九宮格、按照資訊的屬性去做分類歸納與合併、將大量資訊去蕪存菁，這整個過程就是在訓練我們的邏輯思考能力，當然一開始接觸，大家都是很笨拙的，我自己也一樣，但這種能力，就是靠一次次的練習累積而來的，所以希望大家都可以不要害怕去接觸、練習，多次嘗試後，就會越來越上手的。

當我們的答案已經都找的差不多，九宮格內容也幾乎完成時，這時候我會做一件很重要的事：

根據九宮格內容，總結後續要著手進行的具體行動，依照執行的順序以順時鐘方向寫下來。

項目 /	項目 2	項目 3	項目 /	項目 2	項目 3	項目 /	項目 2	項目 3
項目 8	方向 A	項目 4	項目 8	方向 B	項目 4	項目 8	方向 C	項目 4
項目 7	項目 6	項目 5	項目 7	項目 6	項目 5	項目 7	項目 6	項目 5
↑	→	→	方向 A	方向 B	方向 C	項目 /	項目 2	項目 3
↑	總結	↓	總結	目標	方向 D	項目 8	方向 D	項目 4
←	←	↓	方向 G	方向 F	方向 E	項目 7	項目 6	項目 5
項目 /	項目 2	項目 3	項目 /	項目 2	項目 3	項目 /	項目 2	項目 3
項目 8	方向 G	項目 4	項目 8	方向 F	項目 4	項目 8	方向 E	項目 4
項目 7	項目 6	項目 5	項目 7	項目 6	項目 5	項目 7	項目 6	項目 5

圖表 3-5　以順時鐘方向填寫九宮格

在一個九宮格裡面的 8 大方向中，我通常會保留其中一大格，在九宮格差不多完成時，用以總結後續行動（圖表 3-5）；倘若 8 大方向都寫的滿滿的，那就自行在 Action 後面的空白頁總結即可。

總結時，可以是一個格子寫一個行動項目（圖表 3-6）；也可以依照屬性分類，把相同屬性的項目合併寫在同一格（圖表 3-7）。填寫時，當下可以直接思考每一個步驟的執行順序為何，並依照其順序以順時鐘的方向填入。

行動 1	行動 2	行動 3
行動 8	總結	行動 4
行動 7	行動 6	行動 5

圖表 3-6　總結後續要著手進行的具體行動（方式一）

A 類： 行動 1、2、3	B 類： 行動 1、2、3	C 類： 行動 1、2、3
H 類： 行動 1、2、3	總結	D 類： 行動 1、2、3
G 類： 行動 1、2、3	F 類： 行動 1、2、3	E 類： 行動 1、2、3

圖表 3-7　總結後續要著手進行的具體行動（方式二）

☑ 為什麼必須總結後續要著手進行的具體行動？

　　一個九宮格裡面會有：8 大執行方向 ×8 個項目＝ 64 個項目。我們不可能同時進行這 64 件事，執行上一定會有優先順序，再加上九宮格的功能在於幫助我們發想，以及把目標拆解、具體化、以及視覺化，故我們也會依照九宮格的

內容，去決定接下來要做哪些事、以及不做哪些事，因此為了讓自己可以清楚知道接下來的行動，我們必須根據自己規劃出來的九宮格，把後續要著手進行的項目，按照順序一個一個列出來。

九宮格完成

一旦完成了這個九宮格，我們手上有的不再是凌亂無章的資訊，而是非常有組織、有條理、有邏輯的資訊，不僅如此，上面的內容全都是跟這個目標最相關的重要資訊。為了完成這個大目標，所有需要考量的事情，以及所有該做的實際行動，那些我們必須要知道的答案，這時候都已經不在網路上、也不在別人的身上，就在自己手中的這張九宮格裡，不用再東翻西找，就能夠一眼掌握全部的重要資訊，這就是九宮格視覺化的力量。

親手寫下並貼在牆上

Excel 九宮格的內容都完成後，最後一步，讓我們親手把自己規劃出來的九宮格，一一寫到「曼陀羅九宮格 A2 大紙」上吧。

　　寫好後，就把這張紙貼在自己每天都會看到的地方（例如：書桌的牆上），平常有空時就可以反覆閱讀上面的內容，經常提醒自己什麼才是最重要的事（圖表 3-8）。

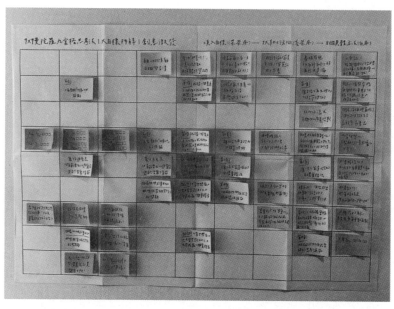

圖表 3-8　把九宮格貼在自己每天都會看到的地方

有兩件事要補充：

1. 建議用便條紙的方式黏貼在格子上，日後若要修改、調整內容，只需要撕下重寫即可，非常方便。

2. 九宮格裡面的每一個格子，不一定要全部填滿，依照自己實際找到的答案去填寫即可。

走到這一步，一定要好好跟自己說一聲：真的辛苦了！因為從目標拆解具體化（找答案、填寫九宮格），一路到目標視覺化（九宮格完成），這是最艱辛的一段路，必須投入極大的心力與大量的時間，但是一定要記得，我們的努力最終都會有成果，因為我們並不是在盲目努力。

一旦完成了目標實踐的第 3 步驟「目標視覺化」，一個完整的執行計畫也就出爐了，接下來我們只要再為這個執行計畫，安排一個進度表，就大功告成啦！

13 ✔ 目標時程化：
最重要的一步，
就是訂出進度表

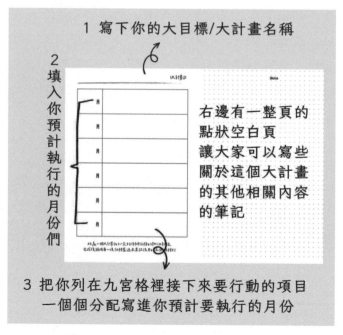

圖表 3-9　大計畫執行時間表的設計

　　在「目標視覺化」的步驟裡，我們已經列出接下來要執行的每個行動項目以及它們的執行順序；在「目標時程化」的步驟，我們必須為每個後續要進行的具體行動，決定它們各自的執行時間，簡單來說，就是要知道自己必須在什麼時候完成哪些事。

　　在這個步驟會需要用到行動力子彈筆記本內頁的「大計畫執行時間表」與「未來誌的任務列」。

☑ 大計畫執行時間表

　　第一步：寫下自己的大目標／大計畫名稱。

　　第二步：把欲執行的確切月份寫下來，一個頁面是 6 個月，若為一年份的計畫則使用兩個頁面。

　　第三步：把自己總結在九宮格裡「後續要執行的每個具體行動」一個個分配到這個執行期間的月份裡（圖表 3-9）。

　　這個步驟會需要花一些時間思考，因為我們必須盡可能以最符合現實的情況，去安排每個行動所需時間。開始執行之後，也都可以依照實際的執行狀況為時間表做調整與修改。

　　大計畫執行時間表寫好後，不只是幾月要完成哪些行動、連整個計畫的進度，我們都可以透過這張表掌握的一清二楚。

☑ 未來誌的任務列

　　最後，我們只需要再把「大計畫執行時間表」上面的每一項具體行動，依照自己安排預計執行的月份，以待辦任務的形式（記得要畫任務框框），寫進該月的「未來誌任務列」（圖表 3-10），完成這一步，整個目標規劃的工作就大功告成了！

　　接下來，我們就可以準備展開一系列的行動囉！

13. 目標時程化：最重要的一步，就是訂出進度表

目標實踐法關鍵 5 步驟：

從目標規劃 ⟶ 到目標完成

1. 目標確認

2. 目標拆解具體化

3. 目標視覺化

4. 目標時程化

5. 目標執行

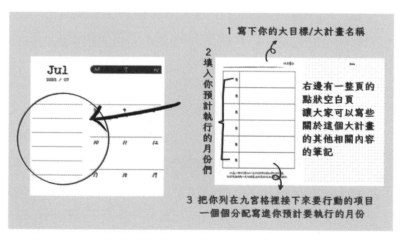

圖表 3-10　把後續要執行的「任務」寫進未來誌的「任務列」

14 ✓ 目標執行：
堅守進度表，
建立正確心態與心智

在上一章節，我們已經把所有後續要去做的事情，依照預計執行的月份，以待辦任務的形式，一個個寫到各自的「未來誌任務列」。

一旦所有的待執行任務都被寫到「未來誌任務列」之後，當時間一到，我們就會把它們一個個轉移寫到月誌的「本月待辦任務清單」，接著我們會決定要在哪一週執行哪些任務，到時候這些任務就會再被寫到當天的「日誌」裡去實際執行，（如同在「月誌」與「日誌」的章節所述）因此整個後續執行的脈絡是非常清楚的：未來誌→月誌→日誌。

講到這裡，讀者應該可以漸漸明白我在前言所說的：當我們具備一個「有效的方法」，以及一個「強大的工具」輔助自己思考、規劃、產出完整計畫與完成後續任務，那所謂

大家認為很困難的「行動力」，其實就只是在這之間自然產生的結果，因為當我們都已經知道自己後續每一項具體行動是什麼，並且一一列出來安排到自己的時間表時，我們接著要做的事情，就是無腦的按照進度將它們一個一個打勾完成而已，也就是目標實踐裡的最後一個步驟：**目標執行**。

從目標確認→目標拆解具體化→目標視覺化→目標時程化→目標執行，此時此刻走到這一步的我們，已經不再是原先那個「我不知道該怎麼做……」不知所措的自己，這時候的我們，清楚知道後續該如何進行、該去做哪些具體行動、也知道自己必須在何時完成哪些行動，最重要的是，我們能夠非常確信，只要按照這個自己親手打造、規劃的進度，把在每個時間點該做的每一件事確實執行完畢，我們就真的可以實現這個大目標。

在最後「目標實行」的這一步，我們需要做兩件事情，這兩件事情非常重要，那就是**堅守進度表、隨時調整與修正**。

☑ 一定要堅守進度表

當自己想要偷懶或是拖延任務的時候，請好好回想自己
從零開始規劃走到這一步的努力與辛苦，以及自己當初想完
成這個目標的初衷，如果不想要讓過去投入的時間與心力都
白費，請為自己加油打氣，並告訴自己：務必要有始有終！
如果自己真的想要實現這個目標，咬緊牙關也得把它完成。

☑ 進度落後時該怎麼辦？

在我們的人生中，每天都有太多預期之外的事情會發
生，無可避免的，有時候我們的進度就是會被那些突如其來
的事情所耽擱，進度落後時，毫無疑問當下一定會非常焦
慮，這時候一定要替自己建立正確的心態與強大的心智：

進度落後已經是事實，為此焦慮並無法解決問題，唯有
把進度趕上，焦慮才會不見，認清這樣的事實之後，就讓自
己冷靜下來，告訴自己，現在唯一能做的，就是在接下來的
日子，把趕上進度這件事，視為當下最緊急且重要的事，並

給予這件事最高度的專注，其他次要任務都先暫時擱著（情況允許的話），**排除所有會讓自己分心的事情，讓自己心無旁騖完成落後的進度。**

　　一定要記得，進度落後時，如果還任性的逃避，焦慮感與痛苦值只會以倍數增加，如果想要消除焦慮與痛苦，一定要收起自己的任性，勇敢面對，把洞一個個補起來。

☑ 隨時調整與修正

　　在後續進行的過程中，倘若發現當初規劃的進度表，跟實際執行的情況有所落差，例如：實際執行後發現整個目標的執行需要更多時間來完成、其實可以提早完成、各任務執行的時間／順序需要做變動……**只要出現有任何需要修正的地方，就一定要隨時塗改、調整。**

　　當自己明明知道內容需要做調整，卻選擇無視它，最終只會讓自己失去執行上的掌控權，當我們失去掌控，焦慮就會找上門，如果不想要讓焦慮感動不動就前來拜訪，那就記得要勤勞的調整與修正，讓一切計畫隨時都在自己的掌控之中。

☑ 總結目標實踐法關鍵 5 步驟 各自使用的工具

從目標規劃到目標完成：

1. **目標確認→年度目標清單**

   決定要在何時（When）完成什麼目標（What）

2. **目標拆解具體化→大／小九宮格**

   找答案（How），蒐集、分類、收納所有重要資訊

3. **目標視覺化→大 / 小九宮格**

   一個完整的執行計畫完成了

4. **目標時程化→大計畫執行時間表、未來誌任務列**

   訂出整個計畫執行的完整進度表

5. **目標執行→月誌、日誌**

   堅守進度表，替自己建立正確的心態與強大的心智

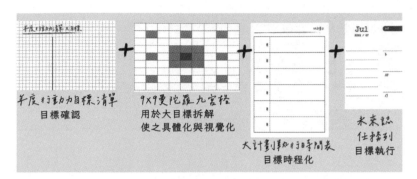

圖表 3-11   目標實踐使用的工具

　　以往，目標實踐這件事看似很抽象、離自己很遙遠，但這次不一樣了，關於目標實現的一切都變得非常具體，具體的策略、具體的方法、具體的工具，只要你願意，那些對你而言很重要、你很想完成的目標，你都可以一一實現（圖表3-11）。

　　如果你還是覺得有點不安、害怕，那你可以先看看我怎麼用這套方法，實現我的人生重要目標，就讓我透過我自己的實戰經驗，為大家帶來追夢的勇氣吧！如果我一個普通上班族都做得到，那麼你也一定可以。

15 ✓ 目標實踐法：
最真實且完整的
實際應用範例

　　長期以來，「目標實踐法」幫助我完成了每一件我想做的事情，在這個章節，我會分享 2 個完整實際應用範例，並詳細說明當時規劃、思考時的所有過程。這兩個例子來自我人生中的 2 個重要大目標，希望透過自己最真實的追夢經驗，讓大家可以親自感受，在實現夢想的過程中有多辛苦，目標達成的那一刻就有多滿足，只要能完成自己想做的事情，一切努力都會值得的。

☑ 範例 1：一年後，首次販售自己設計的行動力子彈筆記本

目標實踐第 1 步：目標確認

　　如同在第一章的故事所說，在 2021 年的 5 月，我決定在一年後的 2022 年 5 月，要把這本「市面上第一本，也是唯一一本，完全不用自己畫的子彈筆記本」創造出來，並且進行首次販售。

　　我設定的參數非常具體明確，時間是「一年後」，目標是要做到「販售」這件事。

　　當時除了過去每個月辛苦存下的積蓄，做為我唯一的資源以外，我沒有其他的外部資源；我平常的生活圈很小，也不太喜歡去做攀關係的行為，有時候還會社交倦怠，所以要說什麼厲害的人脈，我真的是沒有；踏入職場後雖然換過好幾份工作，但是對於實現這個目標需要的能力，我剛好都沒有相關經驗。

　　在沒有資源與人脈、沒有實體產品製作與網路販售經驗、也沒有行銷背景與行銷操作經驗的情況之下，我的第一

步，當然就是做我最擅長的事情：規劃。

目標實踐第 2 步：目標拆解具體化（找答案）

首先，我拿出曼陀羅九宮格，決定先把這個大目標的 8
大執行方向的格子寫出來，於是我開始深入的思考、仔細的
想像與模擬真實情況：

1. 若要販售這個商品，背後所有的實際成本與潛在成
   本，加總後所平分下來每一本的成本會是多少呢？
   因為大眾對於「筆記本」這個東西，普遍能接受的
   價格就那樣，我做這件事情分攤下來的成本，總不
   能高於市場行情的售價吧！所以我得清楚知道做這
   整件事情，背後會產生的所有成本分別有哪些。

   雖然我知道這是一本市面上獨一無二的功能性
   子彈筆記本，也明白這個工具的實用性有多大，但
   是我的顧客並不會知道，因為他們還沒有用過，所
   以我並不能用它實際上能帶給使用者的價值，來定
   義它一開始的售價，我從一開始就走的小心翼翼，

我知道自己必須先遵守市場上的行情。

　　而我當時也設定了給自己的停損點：因為我完全沒有想要靠這個賺取收入，自從開始經營粉專，我一直以來在追求的事情，從來都不是我可以賺多少錢，而是我可以影響多少人，我做這件事情的目的，是希望把這個工具的影響力帶給更多人，但我也是有設定底線的，我的底線就是，沒有賺錢都沒關係，只要能維持打平我就願意繼續做，但只要有任一回賣不好，因而造成龐大虧損，我就會立刻停止，因為我的存款就那些，一次虧損就足以對我造成很大的影響，我能成承受的風險，就是一次虧損。

2. 對於紙製品行業與印刷品的製作過程，我都毫無概念，我一開始甚至不知道我要做的這個如此高度客製化的商品，有沒有廠商願意做？要不然為什麼市面上沒有這樣的商品？所以我得先找到願意跟我配合的廠商，然後把我對於印刷、製作方面的問題，以及我的需求，全部列出來後，一項一項跟對方確認。

3. 不知道製作這個商品，會不會侵犯到子彈筆記原創者的智慧財產權呢？我得到專利事務所一趟，與專

業人士進行法律上的諮詢與確認。

4. 因為我希望我的內頁設計，不只要視覺上看的舒服，使用的感受上也要很直覺，並且能夠提供強大的功能性與實用性，我相信要做到這樣的程度，勢必需要經過多次的改良與優化，因此針對內頁設計，我還得再多設計出幾個不同的版本來實際試用、體驗看看，或許也可以找幾位有寫過子彈筆記的朋友們一起試用。

5. 子彈筆記在台灣，並不像在國外那麼熱門，雖然近年來越來越多人開始學習子彈筆記，但不知道子彈筆記是什麼的人還是占多數（在我開始販售 Action 以前，我身邊的朋友幾乎都沒聽過子彈筆記）。因此我知道必須要創造一個地方，是可以讓我向所有的潛在顧客，完整說明這是一個怎麼樣的工具、該如何使用它、使用後能夠為自己帶來怎樣的改變與結果，於是我就在想，嗯……我可能需要一個官網！讓我能夠完整呈現關於 Action 行動力子彈筆記本的一切，讓大家可以更容易的去認識子彈筆記。

6. 有了官網，我就可以放上所有顧客需要的資訊沒

錯，但…那也得顧客有興趣知道才行啊！如果我沒
辦法引起大家對這個工具的興趣、讓大家想要了解
甚至願意學習如何使用，那麼不管這個工具再厲
害，都沒有用，所以我知道這是非常關鍵的一步，
我必須想辦法把這個工具「行銷」出去。

7. 至於販售時，我要在哪個平台上讓顧客下單呢？是
要使用電商平台？網路開店平台？募資平台？還是
要在自己的官網上架設金流？每個平台都有各自的
優缺點，成交所索取的手續費也各不相同，我得好
好研究、比較一下。

8. 我粉專的粉絲數沒有很多（首次販售時，當時粉絲
只有幾千人），所以我想我應該要想辦法再把粉絲
數提高，粉絲數越高，販售時可以觸及的人就越多。

9. 實際在使用時，如果可以有一個共同空間，讓所有
使用者可以群聚一起，大家可以在那裡面問問題、
分享自己的使用感受、一起討論使用上遇到的困
難，並且由原創者直接協助解答大家的問題，以及
親自帶著大家一步一步做，打造出一個 Action 的專
屬空間，感覺會很不錯呢，嗯…我來想想要用什麼

方式打造這樣的環境。

10. 嗯…既然我是第一個做出這樣商品的人，那我需要
為這個工具申請專利嗎？還有，不知道我需不需要
成立公司耶？啊算了算了，先別想那麼遠了，這個
商品能不能在市場上存活、會不會有人買，都不知
道勒，且走且看吧。

以上大概就是所有我在當時思考到的事情，依照這些
所有我需要考量的事情，列出我的執行方向，放到九宮格
上，就會如圖表 3-12。

**當我們的腦袋在思考許多事情的時候，擁有一個能夠把
這些亂竄的想法分類、收納、視覺化的容器，真的非常重要，
而九宮格就是一個完美的容器。**

當然，實際在思考的過程並不是像上述這樣，一條一條
很清晰、明確、快速的產出，而是緩慢的一步一步推演出來
的。若讀者認為自己沒辦法思考到那麼多的事情，別忘了我
們永遠都可以使用「找答案的 11 種方法」去尋找這 8 大執
行方向。

	成本計算 每本分攤成本 vs 售價			印刷廠端 需求確認			研究 銷售平台	
			成本計算 每本分攤成本 vs 售價	印刷廠端 需求確認	研究 銷售平台			
	總結後續 要著手進行的 具體行動		總結後續 要著手進行的 具體行動	一年後販售 我的行動力 子彈筆記本	架設官網		架設官網	
			其他重要的 事情	IG 粉專 粉絲達 1 萬	行銷			
內頁設計 內頁試用 內頁改良	需要另創 IG 與把書吃了 分開嗎?	拍攝 教學影片?						
停損點? 短期目標? 長期目標?	其他重要的 事情	創造使用者 可以群聚一起 討論的地方?		IG 粉專 粉絲達 1 萬			行銷	
創立公司?	申請專利? 費用?	法律諮詢 侵權與否						

圖表 3-12　範例 1：一年後，販售自己設計的行動力子彈筆記本

　　大方向都列出來之後，接著，一樣藉由「找答案的 11 種方法」試著把每個執行方向外圍的白色格子填起來。

一、成本計算

印刷費、打樣費 精裝外殼成本 （印刷廠端）	紙盒、氣泡袋 （包材）	銷售平台抽成 信用卡手續費 （下單端）
每年固定支出、 稅金、其他一次性 支出（開公司端）	成本計算 每本分攤成本 vs 售價	倉租、進出貨費 訂單處理費 貼標費、運費 （倉儲公司端）
時間成本	庫存成本	商品拍攝費用 印刷用 AI 檔 製作費用 （案件外包）

圖表 3-13　計算成本

　　一開始我把所有自己想的到的成本都先列出來（方法 7：自己分析），接著盡可能的利用 Google 找到所有我需要知道的數字（方法 1：Google），其他那些 Google 沒辦法告訴我的資訊，例如：廠商實際的印刷費、打樣費；倉儲公司實際的費用；案件外包實際的費用……，我則是在後續展開行

動時，一個一個去找潛在的合作對象，實際的與對方討論、請對方報價（方法 4：請教專業人士）。最後格子實在不夠寫的時候，我就使用「按照屬性合併內容」的技巧，重新分類整理之後，所有成本項目清清楚楚（圖表 3-13）。

二、印刷廠端需求確認

關於紙的 磅數、種類、 尺寸、頁數	確認可以 180 度攤平 鎖線精裝	外殼材質、顏色 封面封底 燙印、顏色
是否可打樣 打樣費用 與交期	印刷廠端 需求確認	全部內頁 彩色印刷 是否有 顏色數量限制
印刷品 最低訂購量 與交期	印刷檔案 要求格式	封面封底內頁 完全客製

圖表 3-14　印刷廠端需求確認

　　我把自己對於該商品所有印刷上的需求與問題，都先列出來、準備好（圖表 3-14）（方法 7：自己分析），在後續展開行動時，我就可以直接帶著這些需求與問題，去向合作的廠商面對面請教與討論（方法 4：請教專業人士）。

三、研究銷售平台

噴噴、挖貝 Kickstarter 募資平台	網路開店平台	711 賣貨便
MOMO	研究 銷售平台	全家
蝦皮	架金流在 自己的網站	Google 表單

圖表 3-15　研究銷售平台

　　我先把所有我想的到的平台都列出來（圖表 3-15）（方法 7：自己分析），並 Google 查看看是否還有其他選擇（方法 1：Google）。在後續展開行動時，我會去研究平台之間的差異，例如：上網搜尋網友分享自己使用某平台的實際經驗與平台優缺點（方法 2：使用網路上的各種免費資源）；向曾經有在網路上銷售商品的朋友請教討論（方法 5：請教有相關經驗的朋友）。最後我總結得到的資訊，做了一個 Excel 比較表，並從這個比較表去選擇最適合當下使用的平台。

四、架設官網

自己寫？ 找 UDEMY 課程 學怎麼架設	付錢外包給 請專業來寫？ 價格？	Wordpress
網站要有 哪些內容	架設官網	WIX
SERVER 域名	物流功能 (串接出貨)	金流功能 (購物車)

圖表 3-16　架設官網

　　網路上有許多部落格文章，整理了詳細的網站架設的選擇與優缺點（方法 2：使用網路上的各種免費資源），我就先把幾個自己有在考慮的方式填進來（圖表 3-16），並簡單的寫下幾個相關細項，另外我也有向工程師朋友詢問他們推薦的方式（方法 4：請教專業人士），以及詢問身邊有自己的網站的朋友（方法 5：請教有想關經驗的朋友），他們是使用什麼方式架網站。在後續展開行動時，我就可以根據大家的建議與經驗，去選擇我要用哪一種方式架設自己的官網。

五、行銷

大量閱讀相關書籍	研究 SEO	下廣告？
故事、論點	行銷	找 KOL 合作？向公司企業推廣？
TA？定位？SLOGAN？	付費找攝影師拍攝宣傳影片？	貼文、限動民調測試粉絲反應

圖表 3-17　行銷

　　我把幾個針對行銷方面我能夠做的事情都先寫下來（圖表 3-17）（方法 7：自己分析），在後續展開行動時，我便可以從中去選擇我要採取的行動。（最後因為預算考量，在行銷這塊我只採取了最低成本的行動，也就是大量閱讀相關書籍。）

六、粉專的粉絲數達 1 萬

	IG 粉專 粉絲達 1 萬	

圖表 3-18　IG 粉絲達 1 萬

　　這一大格裡面都是空白的（圖表 3-18），原因是因為當時要去完成的事情實在太多了，我已經沒有餘裕再去規劃讓粉絲數成長的事情，因此我做了取捨，放棄規劃這一格。

七、其他重要的事情

內頁設計 內頁試用 內頁改良	需要另創 IG 與把書吃了 分開嗎?	拍攝 教學影片?
停損點? 短期目標? 長期目標?	其他 重要的事情	創造使用者 可以群聚一起 討論的地方?
創立公司?	申請專利? 費用?	法律諮詢 侵權與否

圖表 3-19　其他重要的事

　　有一些後續需要採取的單一行動（沒辦法自己組成一大格的項目），我就會讓把這些落單的項目，統一收納在同一格裡，這樣就不用擔心會遺漏這些重要項目了（圖表 3-19）。

　　把前述內容都填到九宮格後，就會得到圖表 3-20。

印刷費、打樣費 精裝外殼成本 （印刷廠端）	紙盒、氣泡袋 （包材）	銷售平台抽成 信用卡手續費 （下單端）	關於紙的 磅數、種類、 尺寸、頁數	確認可以 180 度攤平 鎖線精裝	外殼材質、 顏色封面封底 燙印、顏色	嘖嘖、挖貝 Kickstarter 募資平台	網路開店平台	711 賣貨便
每年固定支出、 稅金、其他 一次性支出 （開公司端）	成本計算 每本分攤成本 vs 售價	倉租、進出貨費 訂單處理費 貼標費、運費 （倉儲公司端）	是否可打樣 打樣費用 與交期	印刷廠端 需求確認	全部內頁 彩色印刷 是否有 顏色數量限制	MOMO	研究 銷售平台	全家
時間成本	庫存成本	商品拍攝費用 印刷用 AI 檔 製作費用 （案件外包）	印刷品 最低訂購量 與交期	印刷檔案 要求格式	封面封底內頁 完全客製	蝦皮	架金流在 自己的網站	Google 表單
			成本計算 每本分攤成本 vs 售價	印刷廠端 需求確認	研究 銷售平台	自己寫？找 UDEMY 課程學怎麼架	付錢請專業的 來寫？價格？	Wordpress
	總結後續 要著手進行的 具體行動		總結後續 要著手進行的 具體行動	一年後販售 我的行動力 子彈筆記本	架設官網	網站要有 哪些內容	架設官網	WIX
			其他 重要的事情	IG 粉專 粉絲達 1 萬	行銷	SERVER 域名	物流功能 （串接出貨）	金流功能 （購物車）
內頁設計 內頁試用 內頁改良	需要另創 IG 與把書吃了 分開嗎？	拍攝 教學影片？				大量閱讀 相關書籍	研究 SEO	下廣告？
停損點？ 短期目標？ 長期目標？	其他 重要的事情	創造使用者 可以群聚一起 討論的地方？		IG 粉專 粉絲達 1 萬		故事、論點	行銷	找 KOL 合作？ 向公司企業 推廣？
創立公司？	申請專利？ 費用？	法律諮詢 侵權與否				TA？定位？ SLOGAN？	付費找攝影師 拍攝宣傳影片？	貼文、限動 民調測試 粉絲反應

圖表 3-20　填寫九宮格的範例

八、接著根據上面的內容，去總結自己後續要著手進
　　行的所有具體行動，一個個列出來後，依照執行
　　的順序以順時鐘方向填進九宮格

列出所有成本 尋找合作廠商 內頁設計試用	法律諮詢 研究銷售平台 研究網站架設 研究行銷	確認合作廠商 AI 設計師 攝影師 報價與交期
於社群帶大家 手把手教學	總結後續 要著手進行的 具體行動	打樣 / 產品拍攝 製作宣傳貼文 網站上台內容 圖文教學
包貨、出貨 客服、退貨	開始印刷 下訂包材	創立社群 開始行銷 預購宣傳

圖表 3-21　總結後續要著手進行的具體行動

目標實踐第 3 步：目標視覺化

　　於是一個完整的曼陀羅九宮格就這麼出爐了（圖表
3-22）：

圖表為手寫九宮格（旋轉90度呈現），內容為印刷、行銷、網站平台等規劃筆記。以下為盡力辨識之表格內容：

印刷費、打樣費 精裝/平裝成本（印刷/廠支出）	銷售平台上抽成 信用卡上抽金流費（下單時）		精裝/平裝 180度攤平 鎖線精裝	賣貨/招募 Kickstarter 募資平台	開圖各 開店平台	7/11 賣貨便		
成本計算 每年公攤成本 vs 售價	定裝、進貨費 訂裝/寄送費 出貨、運費（含裝公司抽?）	是否可打樣 費用與交期	MOMO	不用架 銷售平台	全家			
履行成本	商品拍攝費用 EP印/用 AI插圖 製作（費/外包）	附交、訊件多 不同尺寸、不同款、尺寸、質等	完全客制 自己設? 找 UDEMY 課程主題學校研究	架全店住 自己設立開始站	Google 表單			
找設計/排版費 不同印刷銷售平台 不同的排版設計說明	攝影/拍攝成本高 AI設計外 等技巧研究/攝影師 找/費用與交期	EP印/DL 最像的印刷費用 與交期	架設官網 完全客制	不用架 銷售平台	Wordpress			
社群/群眾大? 打把行銷	找社群/群眾大? 打把行銷 製作/上傳素材/文 開圖及上傳	政策計費 每年公攤成本 vs 售價	EP印/所需多種 等印各星記本	針對素材質、顏色 封面封底 找EP印廠	架設官網	WIX		
包貨、出貨 客服、退貨	開行/生印刷 下貨/包材	找社群/群眾大? 打把行銷 需素手且進行的 每買賣量增加	一年後即使 找不到印刷之本 好好準備記本	研究 銷售平台				
內容設計/顯示式 閱讀改良	拍攝 各收費多少?	其他 直素手多事情	IG 拍攝 找/播不達/篇	行銷	物流功能 (幫你寄出貨)	全流程功能 (購物車)		
1項目累? 完工期限? 交期問題?	每年拍/印 IG 與圖書一起 詩詩滑一起做?	每周拍IG 可以群眾一起 詩詩論當地做?	大量閱讀 找有影響書籍	找/文章、論點			下廣告?	
屬正公司?	其他 直要多事情 費用?	拍攝 各收費多少?		TA定位? SLOGAN?	研究 SEO	找 KOL 合作? 向公司企業 提案?		
屬正公司?	申請專利? 費用?	找/找語詞 侵權與否		TA定位? SLOGAN?	行銷	付費找廣告影評 指定播出（得曝光/片）	貼文、限動 即時限時互動 精心設計反應

圖表 3-21　完整的九宮格範例

　　這就是在 2021 年我為這個大目標，所整理出來的行動力子彈筆記本執行藍圖，在這張圖上有當時所有我需要考量的事，以及所有我後續該做的每一項實際行動。

目標實踐第 4 步：目標時程化

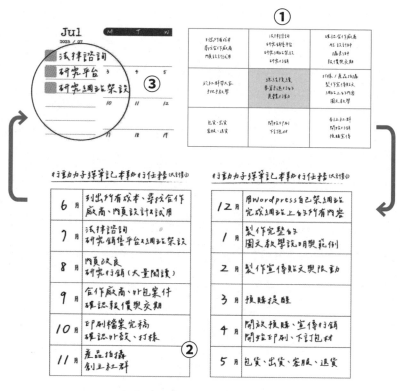

圖表 3-23　目標時程化

　　根據「總結後續要著手進行的具體行動」這一大格裡面的內容，耐心的去一步步推演，認真的思考每一個行動所需的時間，並把每一項行動，安排到「大計畫執行時間表」，完成後，再把每一項行動以待辦任務的形式寫到各自月份的「未來誌任務列」。

　　於是，整個目標規劃的工作就都完成了（圖表 3-23）！

目標實踐第 5 步：
目標執行（未來誌→月誌→日誌）

　　時間一到，我就會把未來誌任務列上面的項目，轉移寫到月誌的本月待辦任務清單，然後再安排到日誌裡去執行。每個月我就是照著自己規劃的進度表，完成當月所有的行動。即便當下我都還有正職工作、英文家教，以及粉專要經營，我仍可以很有自信的說，這一年的準備期間，一切都在自己的掌控之中，而這全都要歸功於 Action 這個工具。

☑ 難道執行的過程中都沒有遇到困難嗎？

當然有！對於計畫的進行，我有絕對的掌控度沒錯，但這一路遇到的困難，一點也沒少過。

光是第一步：找合作廠商，就處處碰壁。因為這不是一個普遍大眾熟悉的產品，我甚至不知道大眾願不願意嘗試使用這樣的工具。在一切都還是未知數之前，我採取的做法，就是先以「最低的成本」，製作出一個低精度原型，來測試市場與大眾的反應。因此我一開始鎖定的廠商，就是一般的傳統印刷廠，而非擁有相關專業技術、專門製作筆記本的廠商，兩者報價可是相差非常大。

然而，我要製作的商品，是非常高度客製化的功能性筆記本，毫無疑問對於傳統印刷廠是非常高難度的事情，一般傳統印刷廠根本做不來也不想做，他們覺得這是一件苦差事最好不要碰，而且數量又少，賺不了多少錢。所以，在我踏出這第一步的時候，是沒有印刷廠願意幫我製作這個商品的。但我當然不可能那麼快就放棄，我一間一間問，最後真的皇天不負苦心人，在我一次次的拜託之下，一位大陸籍的印刷廠老闆娘，對我說：「小女孩，我是被妳的努力跟熱情感動了，我就幫妳做看看吧。」

　　光是第一關就遇到瓶頸，讀者大概可以想像後續的障礙物也少不到哪去，若要把所有遇到的困難都講過一遍，大概可以再講一大章，所以請容我在此打住。我想表達的是，在追求任何目標或夢想的路上，大大小小小的障礙物會持續的迎面而來，遇到了也沒什麼大不了，就一個一個去解決，該怎麼解決？利用找答案的 11 種方法去幫自己找到解決辦法吧！

一年之後，目標完成了

　　就這樣我花了一年的時間，從一開始尋找配合的廠商→跟所有相關廠商討論所有細節→計算所有成本→法律諮詢→完成內頁的設計、試用、改良→自己架設一個多頁式的完整官網→撰寫網站上的內容→搞定金流與物流→大量閱讀行銷相關書籍→商品打樣→找攝影師拍攝商品→製作宣傳貼文→製作完整使用說明書……。

　　從那時候開始，我就沒有所謂的下班休息時間，也沒有假日的休息時間，我非常專注的投入在這件事情上。

　　最終，我如期在一年之後，成功首次販售自己設計的行動力子彈筆記本，我真的實現了這個目標。

☑ 範例 2：在 2 個月內寫完 1 本書

在範例 1，我有非常充足的準備時間（一整年），來完成我所有的行動，但是如果是在時間很緊迫的情況之下，我們又該如何規劃呢？在範例 2 我就來給大家示範一下吧。

目標實踐第 1 步：
目標確認（有多少時間＆要完成什麼事）

有些主題的書，會有自己的最佳上市月份，讀者正在看的這本書就是如此。在我與出版社敲定這本書的上市日與交稿日時，我大概還有 4 個月的時間可以寫書。但是很不巧的，當下那個月剛好是 Action 的黃金銷售月，我事先都已經安排好許多行銷活動與合作案要進行，而 Action 做為一本時效筆記本，它的黃金銷售期也就只有 2 個月，我無疑必須全力專注在 Action 的行銷與銷售上，因此在當下我並沒辦法立刻開始寫書，而是等到當月所有銷售相關的事情都結束後，我才能開始寫書；另外也非常不巧的是，在這 4 個月

當中的最後 1 個月，我早在半年前就訂好所有機票與住宿，
要去歐洲自助旅行 1 個月，因此扣掉前面 1 個月與後面 1 個
月，我能寫書的時間就剩下中間的 2 個月，於是我的目標設
定也就非常清楚了－時間：2 個月；完成什麼事情：寫完一
本書。

目標實踐第 2 步 + 第 4 步：
目標拆解具體化 + 目標時程化（訂出進度表）

　　若在時間非常有限的情況下要規劃一個大目標時，我們
必須要具體知道以下這兩件事情，並將它們拆解到最小單位
（目標拆解具體化）：

　　1. 總共有多少「數量單位」要完成？
　　2. 總共有多少「時間單位」可以完成？

　　然後把兩者相除！你就會知道：

「自己在「多少」時間單位，需要完成「多少」量」
而這就是你的進度表（目標時程化）！簡單明瞭。

以這個範例來說，我有 2 個月的時間，也就是 8 週；
在這個期間內我總共需要寫完 270 頁、8 萬字的書。

開始相除：8 萬字除以 8 週，平均 1 週要寫 1 萬字；而
這本書全部有 21 個小章節，分攤 8 萬字平均 1 個章節需要
寫 3,800 字；1 週 1 萬字除以每個章節 3,800 字，等於我 1
週至少需要寫完 2.6 個章節，而我通常不會抓這麼剛好，這
樣太冒險，必須預留一點空間，因此我就直接往上取整數，
實際得出的進度表就會是：我 1 週需要寫完 3 個章節。

評估目標困難度及實際完成的可能性

進度表算出來之後，我接著很認真的問自己：我有辦法
一邊上班，一邊利用下班時間與假日時間，在 1 週內寫完 1
萬字、3 個章節嗎？在我仔細評估了自己的工作忙碌程度以
及我的寫作速度之後，我的答案是：沒辦法。

做出取捨

因此，為了可以好好的完成這本書，我做了取捨，我裸辭了一份我非常熱愛、薪水也很不錯的外商工作，等到寫書出書的目標圓滿完成後，我再重新找工作。跟身邊朋友說這件事時，朋友都覺得：「瘋了嗎？那麼好的工作，竟然為了寫書要放棄這份工作？寫書是能賺比較多錢？」我跟朋友說：「寫書賺不了錢啦！寫書怎麼可能是為了賺錢……寫書是為了提供價值，藉由書籍讓這些價值能夠感染、影響更多人，為更多人帶來改變。」身邊朋友們都覺得，寫書當然很棒，但沒辦法理解為什麼我可以為了寫這本書，連工作都可以不要，我相信很多人都沒辦法理解。

你得知道你想追求怎樣的人生

我對於「書籍」有很深的著迷。當我在生活中或工作上遇到問題或困難，我一定會做的一件事，就是買書來看，這一路以來，我感謝書籍給予我太多寶貴的知識與價值，讓我能夠學以致用。身為一個熱愛閱讀、深深著迷於書籍裡的知識、並且嚴格選書的人，能夠出版一本自己寫的書，一直都是我人生的願望清單。因此當出版社主動給予我這樣的機會時，我知道沒有任何事情可以阻止我完成這件事。

　　自從成立粉專，一直以來我所追求的就這兩件事：貫徹給予者的精神，以及成為有影響力的人。而對我來說，寫書的重點就是「給予」及「帶來影響力」。雖然這一路我真的「捨」掉與犧牲掉很多東西，但我清楚知道我在追求什麼。

　　當面臨人生重要的十字路口，我們都得做出選擇，而究竟該如何抉擇、取捨？就問問自己的內心想追求什麼樣的人生吧。

目標實踐第 3 步：目標視覺化

　　一切都想清楚之後，我接著就把我為這本書所規劃的所有章節、各章節標題，以及我的寫作進度表，全部寫在便條紙貼在這張曼陀羅九宮格 A2 大紙上，並且把這張大紙貼在我寫作時使用的書桌上方（圖表 3-24）。在這兩個月的寫作期間，只要抬頭我就能看到自己已經完成的章節以及尚未完成的章節，視覺化之下，除了有自我鼓勵與自我提醒的功能，我也可以透過這張表，清楚掌握自己的寫作進度是否有落後。

圖表 3-24　把這張大紙貼在我寫作時使用的書桌上方

目標實踐第 5 步：目標執行（堅守進度表）

　　因為我的進度表告訴我：我 1 週需要完成 1 萬字、3 個章節。我想了想，保守估計，1 個章節我預計平均花 2 天的時間完成，因此 3 個章節就會用掉我 1 週中的 6 天，剩下的最後 1 天，我則用來做為萬一當週進度落後時可以趕工補救的時間。以這樣的安排來看，如果我想在這兩個月完成這個目標，那麼在這期間內我恐怕都沒辦法出門玩耍了。

排除所有可能會讓我無法如期完成目標的事情

　　有了這樣的認知後，我便將過去所有安排在這兩個月與朋友、家人的聚會、出遊行程全部取消，並好好向對方解釋與致歉。

目標完成了

　　在這兩個月的期間，我的寫作時間就跟平常上班時間一樣，每天寫作 8 小時或者以上，除了假日會到圖書館報到之外，我幾乎都不出門，呈現一個閉關的狀態，日復一日，非常無聊且痛苦。但是，做為交換的是，我真的成功在兩個月

內，完成了這本書。還是老話一句，只要能夠實現自己很想完成的目標，一切的努力與犧牲都是值得的。

總結範例 2：在 2 個月內寫完 1 本書

→ 決定要在何時完成什麼目標

→ 拆解數量單位與時間單位

→ 訂出進度表（將數量單位與時間單位相除）

→ 評估目標困難度以及實際完成的可能性

→ 做出取捨

→ 你得知道你想追求怎樣的人生

→ 把要完成的內容與進度表視覺化到九宮格

→ 排除所有可能會讓我無法如期完成目標的事情

→ 目標完成

高效小訣竅

　　拆解數量單位與時間單位，並把彼此相除後所得出的進度表，是我自己經常在使用的一個規劃進度的方法，非常的實用，像是準備學測考試、公職考試、語言檢定考試、證照考試……都非常適合用這樣的方法來規劃進度，大家一起學起來。

　　不同於範例 1，範例 2 在規劃上相較簡單很多，但是在範例 2，我仍然是使用目標實踐法的關鍵 5 步驟，來規劃一切。

　　想要告訴讀者的是，只要把這套方法的概念掌握住：

　　確認目標的 When & What → 拆解目標 Know How → 把一切視覺化 → 訂出進度表 → 堅守進度表 → 目標完成。

　　你也可以成為目標規劃達人。

第 4 章

阻礙我們自我
突破的思考誤區

16　不再等別人提供答案，而是成為解決辦法的人

　　自從我開始使用自製的 Action，不管是在我的工作能力、薪水、解決問題的思維、日常的專注力、完成任務與實踐目標的執行力等方面，都有很明顯的提升，而這些改變，就是我希望我的粉絲們也能夠擁有的改變。帶著這樣的初衷，我把 Action 製作成正式的商品，直接提供人們一個可以實際使用的工具，並且在社群裡親自帶領每一位夥伴使用、規劃自己的工作與生活、實踐自己的目標。

　　但這樣還不夠，我不只是希望大家能夠受益於 Action 這個強大的規劃工具，我更希望可以透過 Action，向所有使用者傳遞，我自己一直以來在不管是在職場上、副業或協槓上、生活上，所秉持的重要思維，並讓大家藉由我的引導與帶領之下，從使用 Action 這個工具的過程當中，進而訓練

自己培養出這些重要的思維與軟實力，並練習把這樣的精神
應用在自己的工作上與生活上。

　　而這就是在這一章要跟大家說的事情，讓我們繼續看下
去吧！

　　許多粉絲經常會私訊我他們遇到的問題，然後問我該怎
麼做？我就會反問對方：「你有做了哪些功課了呢？有先自
己思考過了嗎？查了哪些資料？請教了哪些人？有跟誰討論
過了？」

　　而我經常收到的回覆是：

　　「都沒有耶⋯」

　　粉絲遇到困難求助於我，這是找答案的其中一種方式沒
有錯，但如果自己沒有先下功夫、做功課、或是連 Google
都沒有先查，就帶著一個沒有事先自己處理過、思考過的問
題向別人請教，這並不是在「找」答案，這純粹只是希望別
人「提供」答案、直接告訴自己該怎麼做。

☑ 範例 1：業務經理的助理

　　我過去有一份正職工作是擔任業務經理的助理，經常會遇到一些棘手的問題，若處理不好可是會造成龐大虧損。每當遇到問題時，很多人可能會直接帶著原問題去找主管，詢問該怎麼辦。

　　但我並不會這麼做。只要不是在「若沒有立刻告知主管就會造成嚴重後果」的情況之下，我一律都會先自己思考：這件事可能可以如何解決、有哪些選擇，接著我會向相關單位確認這些方法的可行性，在非常短時間內快速的找出 1～2 個解決方案或者是替代方案後，這時我才會向主管呈報問題，並把我找到的解決棒法或替代方案提供給主管參考，再詢問主管要採取哪一種方法或是有沒有其他想法。

　　主管的反應經常是：太好了，你已經問過 XX 了，我正想請你問，既然如此，那我們就走 X 方案吧。或者主管有時候並沒有採取我提供的方法，但他知道我已經把我該做的、我可以做的，都先去做了，才去求助他，他知道我並沒有在浪費他的時間，而是真正在協助他設法解決問題。

　　當時我才剛出社會不到一年，學歷只有私立大學畢業，

那時候的月薪就有將近 5 萬元，並且在我剛去公司還沒幾個月就遇到過年時，主管還另外發給我 5 萬元的紅包做為我的年終。倘若在當時我只是一個只會等著別人給我答案的人，我相信我無法擁有這樣的工作機會或是獲得這樣的待遇。

☑ 範例 2：外商公司喜歡用的人才

我過去有一份正職工作是在軟體外商擔任 BD，有一陣子我兼當人資，幫忙公司尋找新的工程師來補上離職工程師的位置。除了專業能力、人格特質、態度等這些經常會納入考慮的要素，有一個特點，是公司非常注重的事情，也是在眾多來面試的人當中，最常被刷掉的原因，那就是：

對方是否具備能夠自己去找到答案、解決問題、提供解決辦法的能力，而非只是按照指令做事，或是等著別人教你怎麼做。

面試者在第一關與 RD 主管初步面試時，我雖然不清楚 RD 主管是如何進行面試，但我知道主管會有一系列的假設問題，可能類似：假設我今天需要你給我一個 XX 結果，你

會怎麼開始、怎麼進行、你的每一個步驟會是什麼？那如果遇到 XX 問題，你又會如何處理？

而大家可能會感到非常訝異，有非常多面試者，在一陣沉默之後，竟然都說了這樣一句話：

「我不知道……」

或者是僅僅提供一些非常潛層、表面、無關痛癢的回答。

不過當然也有少數面試者提供相當不錯的解答，這時就會進入第二關的寫程式測驗。但能夠進入第二關的面試者，比例出乎意外的少。而在第二關能夠在沒有旁人的引導，靠自己的能力找出解決方法，實際的把題目的需求完整呈現出來的人，更是少之又少。

當時花了非常長的時間，公司才找到合適的人才。後來公司非常滿意這位工程師的工作表現，而我自己也經常向主管讚許這位工程師，好比像是我們在開發軟體的過程中，每當遇到難以處理的程式問題或是複雜的需求時，工程師並不會直接說：「沒辦法」、「不能做」、「我不知道」，而

是先向我說明難以執行的原因之餘，並給予 A 與 B 兩種替代方案讓我選擇，這代表他已經自己思考過了、並且還下了功夫找了替代方法，這不僅讓我們彼此之間能夠以非常有效率的方式溝通，更是大幅提升整個軟體開發上的進度。一年後，這位工程師還獲得了很不錯的調薪，就如同他應得的。

　　雖然我沒辦法說上述的見解就是適用於所有外商或是台灣公司。但我絕對相信，這樣的能力，是一個職場人才應該要具備的其中一項重要特質。

☑ 如何在職場上做出自己的　競爭力與差異性

　　我做了圖表 4-1，簡單說明了這三種員工的差異：

對公司來說不好用的人
對公司來說好用的人
對公司來說很有價值的人

在職場上，被要求做 A → B → C → D 而能按照指令與
步驟做出 A → B → C → D 的人到處都是，哪種人更有價值、
更值得公司花更高的薪水？能夠解決問題的人，以及能夠做
別人做不到的事情的人，這樣的人才有機會成為職場上不可
取代的人。

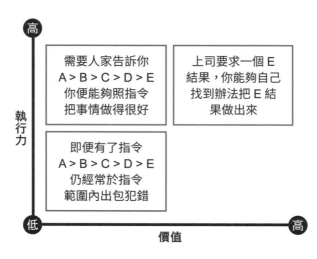

圖表 4-1　三種員工的差異

☑ 藉由 Action 培養自己成為職場人才

當我們在使用 Action 的九宮格進行目標的規劃與發想時，填寫九宮格內容的過程，就是在訓練、培養自己成為一個懂得思考、能夠找到所需答案、解決問題的人，這也是我一直以來在引導夥伴們使用 Action 時，積極幫助大家建立的思維與觀念。

然而，仍有許多夥伴在使用九宮格時，經常會告訴我：「我把最中間那格的目標設立出來了，但周圍的格子不知道要寫什麼。」

找答案的 11 種方法在本書已經完整交給大家，由衷希望大家，以後不管是在目標規劃上或是工作上遇到問題或困難時，都可以發揮 Action 的精神，認真的去思考、動腦，並且實際做出行動找到自己需要的答案，而不是丟出一句：「我不知道該怎麼做……」便等著別人告訴自己該怎麼做。

想像一下，在職場上，當每個人都是帶著問題去找主管，只有你帶著解答，你就已經把自己的能力與價值跟其他人拉開到不同的水平了，所以別再當一個等著別人告訴自己該怎麼做的人，因為這樣的人可是最先被取代與淘汰呀。

從今天開始，把這句口頭禪戒掉吧：

「我不知道該怎麼做……」

並練習讓自己習慣這麼說：

「讓我去找看看可以有哪些解決辦法！」

17　勇敢面對問題，成為一個懂得「優化」的人

一個人的能力，或者是一件商品，如果想要維持它在市場上的競爭力，背後的關鍵是什麼？

我個人認為是「優化」這件事。

☑ 範例 1：英文口說訓練課程

在前面的章節有說到，我以前的英文並不好，特別是口說能力，各種市面上可以花錢學英文的方式我都有試過，像是：英文補習班、英文會話課、線上英文課程、外籍英文家教……但是在投入了大把的學費與時間之後，我的英文口說

卻始終沒有進步。而也正是因為有了過去這些英文學習的無效經驗，讓我自己在成為英文家教之後，便立志要設計出一套，能夠真正有效引導學生掌握英文口說能力的英文口說訓練課程。當時我花了 8 個月的時間，去研究各種國內外訓練語言的方法、分析台灣市面上的英文課程，無法有效進步的原因是什麼，除了參考自己過去的英文學習經驗之外，我也詢問了許多人的經驗。8 個月過後，我的課程與教材都準備好了，我便開始招生上課。

在上了 3 個月的課程之後，有一天睡醒，我突然對於這套訓練課程的設計有了全新的想法，我非常興奮，因為我知道如果把課程照這樣的想法去設計，學生的學習效果會更好。但是，重點來了，因為新的想法與原先的課程規劃很不一樣，如果要這麼做的話，就必須把前面 8 個月辛苦編撰出來的教材與課程，全部打掉重新來一次。但其實使用現有課程與教材的學習成效也不差，只是我知道它可以變得更屬害、更有成效。

想問讀者，換作是你，你願意把原先的課程與教材打掉並重新設計嗎？

我毫不猶豫這麼做了。

　　於是我又花了 6 個月的時間，把課程內容重新設計過，並重新編撰教材，把我當初睡醒後的那個全新想法，具體的實現它。在那之後的好幾年，我陸陸續續又進行了無數次的改版與優化。

　　從大學時期就開始當英文家教的我，7 年過去，我還是持續在做課程「優化」這件事，而這也是為什麼我的學生總是能夠源源不絕、為什麼我的課程永遠無法被其他市面上的課程所取代的原因，因為我費盡心力確保我的課程內容設計是獨一無二，並且確保我的課程能夠帶給學生真正的進步與學習的成效，倘若我沒有持續去做「優化」這件事，我沒辦法擁有如此具有競爭力與差異性的課程內容。

☑ 範例 2：Action 行動力子彈筆記本

　　從 Action 的首次販售至寫書的當下，Action 已經做了 3 次內頁設計＆外觀的大改版。這 3 次 Action 都是以半年份為單位在銷售，也就是上半年與下半年分開銷售，因此許多粉絲會問：

為什麼不直接上半年＋下半年兩本一起銷售，這樣不是比較方便嗎？

這是個非常好的問題呀。每一次的銷售，我都需要在三個月前就開始準備所有的前置作業，等前置作業完成後，接著從預購→銷售→出貨→社群的帶領與教學，大概會需要再密集忙碌三個月，所以每一次的銷售，都會需要占用我 6 個月的精神與心力。

當我每一次都只販售半年份，這意味著當我好不容易完成這一輪的所有工作，我又要接著開始準備下一輪的工作了，全年無休呀。到底為什麼要選擇這麼辛苦呢？原因沒有別的，就是因為我希望在初期一切都還有很多進步空間的時候，我可以很立即的在一個半年度結束時，把能夠調整優化的細節，在下個半年度呈現出來，讓使用者在下個半年度就可以擁有更好的產品與更棒的使用體驗。

因此在每一次製作稿件之前，我都會精心設計一份優化問卷，使用者可以自由參與問卷的填寫，接著我會從這些大家根據自己的使用經驗與感受所提供的寶貴建議，決定下一次要調整與優化的地方。經過了這 3 次與使用者同心協力

一起改造的成果，我知道 Action 已經準備好在下一次，直接以一整年份（上半年＋下半年）來進行銷售了，因為從眾多使用者給予的一則則正向回饋來看，我可以肯定現在的 Action 不論是內頁的設計、外觀的部分、整體的功能性，都已經做到非常成熟、完整、且強大。

雖然我還沒辦法說 Action 是一個成功的商品，因為現在都還是在創業的初期，但針對使用者的痛點去做改良與優化，絕對是讓商品能夠維持市場競爭力的一大關鍵。

高效小訣竅

　　Action 之所以以半年做為一本的原因，在於 Action 裡面收納的都是自己每天、每週、每月的規劃與安排，這是一本必須經常隨身攜帶的重要工具，像是每天從家裡帶到公司，下班後再帶回家……因此必須不能太過厚重，若以一年為一本，則攜帶上會變得非常笨重且不便，基於此原因，才決定把 Action 做為半年一本的工具。

☑ 使用 Action 就是一個自我調整優化的循環過程

Action 是一本功能性子彈筆記本，裡面每一個頁面、每一個元素的設計，都有不同的功能以及不同的使用方式。同一個頁面，由不同角色的人來使用，就會有不一樣的用法，因為同一種使用方式或許對某些人有用，但卻對某些人沒有用，因此使用 Action 很重要的其中一個精神就是：一定要不斷嘗試，找到對自己最有效、最舒服、最適合自己的使用方式。

在這本書所講述的所有使用規則，目的都只是讓大家可以比較容易照著做，一旦熟悉了 Action 的運作概念後，往後都可以根據自己實際執行後的感受與結果，自行去調整自己在 Action 每一個頁面上的做法，只要能夠擁有這樣的心態與觀念、懂得靈活變通，Action 就一定可以為每一位使用者發揮它最大的作用。

此外，使用 Action 的過程中，難免會遇到自己狀態比較不好的時期，這時候人類出於本能的就是會想要逃避，逃避龐大的壓力、逃避失控的生活、逃避迷茫的自己、逃避「再

次打開筆記本」，這些都是再正常不過的事情，就連原創者本人我，也都會有不想翻開筆記本的時候。

逃避並不是壞事，但是關於逃避最重要的一刻，是當自己在經歷這些負面情緒之後，是否能夠鼓起勇氣回到現實，冷靜的重新面對自己在逃避的人事物，並且勇敢的再次翻開 Action，檢視與反思當下遇到的問題，把心靜下來好好重新規劃、認真思考該如何改善現況。

我們其實應該要好好感謝困難與挫折這兩個好朋友三不五時的拜訪，因為有他們，我們才會去思考哪裡做的不好、哪裡可以怎麼做更好，每一次的重新面對、以及每一次的檢討與調整，都會讓自己成為更強大的人，而這也是我希望能夠透過 Action，傳遞給每一位使用者的重要精神。

若想讓自己成為職場上具有競爭力的人才，我們必須先讓自己成為一個懂得「優化」的人，而使用 Action 的過程，就是在幫助我們建立這樣的思維、以及練習成為這樣的人。

18 ✓ 一次一小步，讓自己有意識的過好每一天

　　不管是生活管理、工作規劃，還是目標規劃，只需要一本 Action 就可以做到。也因為 Action 有許多不同的頁面與功能性，使得有一些剛開始接觸 Action 的使用者，有時會把它想的太複雜，難免會讓自己有無所適從、不知從何開始的迷茫感，但其實 Action 的使用可以非常簡單，因此這個章節就是要來突破這樣的盲點，並為大家建立幾個使用 Action 的重要觀念，讓大家都可以輕鬆上手。

☑ 使用 Action 有 3 個層次，從最簡單的一步開始吧！

第 1 層：完成每月、每日該做的的待辦任務

除了讓自己能夠不遺漏所有該做的大小事，並能夠做到定期的自我檢視、復盤、反思，讓自己有意識的去改善當下的問題，進而達到「認真生活過每一天」的目的。（使用的工具是：未來誌→月誌→日誌）

第 2 層：習慣的養成與戒除

讓自己能夠把一直以來很想養成的好習慣建立起來，或者是戒除舊有的壞習慣。（使用的工具是：年度習慣清單/習慣達成率總表→習慣追蹤格）

第 3 層：目標的規劃與實踐

使用目標實踐的 5 大步驟，目標確認→目標具體化→目標視覺化→目標時程化→目標執行，讓自己能夠一步步實現

那些對自己而言很重要的目標與夢想。（使用的工具是：年度目標清單→ 3×3 小九宮格、9×9 曼陀羅九宮格→大計畫執行時間表→未來誌→月誌→日誌）

使用子彈筆記最根本的意義，就是希望能夠讓自己把每一天的日子過好，把生活掌控好、管理好，不讓自己渾渾噩噩、瞎窮忙的度日子。因此剛開始接觸 Action 時，我們只需要從第一層開始做起就可以了，等自己漸漸熟悉了未來誌、月誌、日誌的運作方式時，若心有餘力，再來往第二層去做使用，進一步去思考是否有想要養成或戒除的習慣。最後就是當自己有明確的目標必須或是想要完成時，這時我們再前往第三個層次去做使用。

Action 裡面的所有工具，都是等到我們需要它的時候，再來好好的使用它就好，暫時用不到的工具就先讓它沈睡沒關係的。所以不需要為了做而做，倘若現階段真的沒有想要養成或戒除的習慣，那就不用強迫自己一定要使用習慣追蹤格；或者當下真的沒有想要實現的明確目標，那就不需要硬逼著自己使用九宮格，只要我們能夠好好的執行第一層的用法，讓自己有意識的認真過好每一天，這就已經是最棒的事情了。

19　用掌控感取代焦慮感，找回生活的節奏

　　從這幾年使用 Action 的經驗當中，我學習到最深刻的一課就是：不管是在生活中或是工作上，如果想要用掌控感取代焦慮感，最直接有效的方法，絕對是把腦袋裡面雜亂的思緒、想法、計畫……，全部寫出來、視覺化到 Action 上。

☑ 為什麼生活會失控？

　　人類總是習慣把各種要提醒自己的大小事、需要完成的任務、突如其來的想法、對一件事情的計畫……，通通裝在腦袋裡面，而當它們越疊越高、越多、越深的時候，我們就會開始感到焦慮、煩躁、暴躁、甚至是失控。因為我們無法

直接看到，到底有多少事情要做，也沒辦法好好掌握每件事情的優先順序，更令人焦躁的是，我們無法確切知道自己會在什麼時候完成哪些事情，一切都好混亂，而當一個人陷入這樣的狀態時，出於本能的就會開始逃避不願面對這一切，但是你我都知道，逃避無法改善問題，只會加深內心的焦慮與恐慌。

然而，非常神奇的，一旦我們把所有的事情全部寫下來，並且一個一個好好規劃到 Action 上，原本非常糟糕的情況立刻有了 180 度的大轉變。

突然之間，清空後的腦袋變得輕盈許多，雖然該做的事情並沒有減少，壓力也不會變小，然而，在視覺化的魔力之下，一切不再模糊與混亂，因為所有接下來需要完成的事情，以及該在何時完成哪些事，都已經非常清楚的呈現在眼前，這時候內心會發生很奇妙的轉變，那就是自己的情緒不再由焦慮感所控制，取而代之的是面對這一切的掌控感。

☑ 我自己的親身經驗

　　每一次只要我想要執行一個大計畫、規劃一個大目標、被交付重大的任務或是那陣子有好多事情同時在進行時，我就會開始感到壓力很大、很焦慮，起初我都會習慣性的逃避、甚至不願翻開 Action，然而後來我發現，每當我能夠鼓起勇氣好好的重新面對，冷靜的把所有事情用 Action 規劃出來時，我整個人就像是重新活過來一般，內心變得豁然開朗，雖然壓力並不會不見，但是那些日積月累的焦慮感真的會消失。這樣的轉變可說是屢試不爽，親自感受到這件事情的奧妙後，日後只要焦慮又找上我時，我就會知道我該怎麼做來趕走它。

☑ 一起找回生活的節奏吧！

在一切沒有具體化、視覺化之前，焦慮感與混亂感會一直存在並且持續擴大，當它們長到一定的程度時，生活就會開始失控。

不過不用擔心，現在的你已經知道該如何復原失控的生活、再次找到生活的節奏，並且拿回屬於自己的生活主導權。

20 　發揮想像力，
九宮格還可以這麼玩

　　九宮格除了可以讓我們在進行目標規劃時，用以將目標拆解具體化、視覺化，並搭配大計畫執行時間表、未來誌使用之外（如同第三章所說），它還可以單獨應用於其他地方，這就是九宮格的美妙之處，只要發揮想像力，它隨時隨處都可以為我們所用。在這個章節中，我會分享幾個九宮格的創意應用方法，也希望讀者們可以試著在自己的生活中或是工作上，靈活的自由運用九宮格這個實用工具。

☑ 曼陀羅九宮格創意應用 1：
自我提醒的願景圖

　　在自我提醒的願景圖裡，我們可以應用的主題非常廣泛，可以是跟生活、自我相關，隨意舉例：我想要的人生、心目中理想的生活、成為自己喜歡的人……；也可以是與工作相關：公司管理、成為職場搶手貨、提升自己在工作上的競爭力與差異性……。

　　在這邊我以自己實際規劃過的其中一個九宮格願景圖來給大家做範例。

主題：我想要的人生

　　首先我列出了，對我而言，人生最重要的 8 個大主題、大方向，接著寫下針對每一個大主題、大方向，我認為很重要的 8 件事情。

　　8 大執行方向與 8 個具體執行方法（圖表 4-2）：

23:30 睡覺	三餐準時吃	少酒、少甜食 少炸物	成為「給予者」 (GIVER)	成為 有影響力的人	保持善良 待人溫暖	過一個 沒有後悔的 人生	照顧好爸媽 還有妹妹	擁有自己的房子
睡前1小時 不吃東西	沒有健康這個1/ 有再多0(財富事業) 都沒用	每天至少喝 2L水	孝順	成為 我想成為的人	一定要快樂	找到共度 下半輩子的人	實踐 人生願望清單	養兩隻狗 叫憨吉&麻吉
重訓+有氧 2~3次/週	時常提醒自己 要好好呼吸	不要憋尿	用盡全力 實踐想做的事情	不斷突破自我 只跟自己比	認真生活 好好過每一天	換此生摯愛車款 T-ROC	買二手改裝露營車 跟另一半體驗 車宿流浪生活	寫書出書
月存5萬以上	一個月回家1次 陪伴家人	時常感恩	沒有健康這個1/ 有再多0(財富事業) 都沒用	成為 我想成為的人	實踐 人生願望清單	無法控制 自己的情緒 書看再多都沒用	不要再用 惡劣的口氣 傷害最親近的人	不要在生氣時 做出任何行動 一定會後悔
	重要的事情 要持續做	寫作	重要的事情 要持續做	我想要的人生	有意識改進 自己不好的地方	太容易一股腦 相信別人說的 話沒有批判思考	有意識改進 自己不好的地方	提高自己的格局 不跟格局不足 的人計較
	定期捐款	輸入↔輸出	不要放棄 自己的興趣	成為職場上的 佼佼者	與另一半 到處旅行	黃的話要聽 That man is always right 別罵他	練習把生活 步調放慢	做決策要 綜觀全局
閱讀	股票操作	重訓	做別人不想做的事 做別人做不到的事 做出你的不可取代性	具備將想法 整理成文字 的能力	具備將想法 用語言表達出來的 能力	沙巴海上屋	歐洲自助旅行	Maldives Or Bora Bora
持續精進 英文能力	不要放棄 自己的興趣	經營IG粉專 把書吃了!	具備解決問題 與危機處理 的能力	成為職場上的 佼佼者	目標 →具體執行方法 →遇到的困難 →解決辦法		與另一半 到處旅行	
彈吉他	永遠熱愛大自然 當個大自然 的孩子	英文家教 小事業	任何事情交給你 上司可以很放心	對學習永遠保持 好奇、飢餓、 謙虛	心中隨時提問 並自己去找答案			

圖表 4-2　我想要的人生

沒有健康這個 1，有再多 0（財富事業）都沒用

23：30 睡覺

三餐準時吃

少酒、少甜食、少炸物

每天至少喝 2L 水

不要撇尿

時常提醒自己要好好呼吸

重訓＋有氧 2-3 次／週

睡前一小時不吃東西

成為我想成為的人

成為給予者（Giver）

成為有影響力的人

保持善良，待人溫暖

一定要快樂

認真生活，好好過每一天

不斷突破自我，只跟自己比

用盡全力實踐想做的事

孝順

實踐人生願望清單

過一個沒有後悔的人生

照顧好爸媽還有妹妹

擁有自己的房子

養兩隻狗，叫憨吉 & 麻吉

寫書出書

買二手車改裝露營車，跟另一半體驗車宿流浪生活

換此生摯愛車款 T-Roc

找到共度下半輩子的人

有意識改進自己不好的地方

無法控制自己的情緒，書看再多都沒用

不要再用惡劣的口氣，傷害最親近的人

不要在生氣時做出任何行動，一定會後悔

提高自己的格局，不跟格局不足的人計較

做決策要綜觀全局

練習把生活步調放慢

黃的話要聽，That man is always right，別罵他

太容易一股腦兒相信別人說的話，沒有批判思考

與另一半到處旅行

沙巴海上屋

歐洲自助旅行

Maldives or Bora Bora

成為職場上的佼佼者

做別人不想做的事，做別人做不到的事，做出你的不可
取代性

具備將想法整理成文字的能力

具備將想法用言語表達出來的能力

隨時問自己這 4 件事：目標是什麼？具體執行方法是什
麼？遇到的困難是什麼？解決辦法是什麼？

心中隨時提問並自己去找答案

對學習永遠保持好奇、飢餓、謙虛

任何事情交給你，上司可以很放心

具備問題解決與危機處理的能力

不要放棄自己的興趣

閱讀

股票操作

重訓

經營 IG 粉專－把書吃了！

英文家教小事業－英文口說與聽力訓練課程

永遠熱愛大自然，當個大自然的孩子

彈吉他

持續精進英文能力

重要的事情要持續做

月存 5 萬以上

一個月回家 1 次陪家人

時常感恩

寫作

輸入→輸出

定期捐款

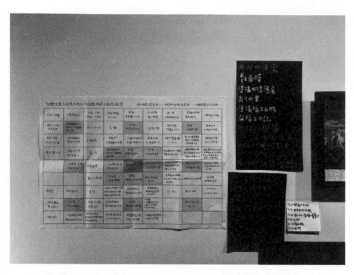

圖表 4-3　把人生願景圖的九宮格貼在書桌前

　　內容都完成後，我就把它們一格一格寫在 Action 獨立
附贈的曼陀羅九宮格 A2 大紙上（也可以寫在便條紙上再貼
到九宮格，如下一個應用範例），並把這張 A2 大紙黏貼在
我的書桌前（圖表 4-3）。

　　願景圖的功能就像是一個自我提醒物，能夠不斷提醒自
己，什麼對自己而言才是最重要的事情。當我們經常看它、
複習它，久而久之，這些內容會逐漸烙印在自己的腦海裡，
並且轉變成對自我的認同，當心理上對自我的認同是如此
時，我們會比較容易去做出相對應的行為。

高效小訣竅

　　除了把願景圖作為一個自我提醒物之外，讀者也可以採取更積極的做法，也就是針對九宮格上面的內容，去決定自己接下來可以採取哪些具體的行動，並把這些具體行動規劃到 Action 裡，而由於一個九宮格會涵蓋非常多個項目，我們不可能全部一次完成，因此要記得以階段性的方式去規劃分配。

☑ 曼陀羅九宮格創意應用 2：蒐集＋視覺化某一特定主題的資訊

主題：三餐吃什麼好

　　我一整天最浪費時間的時候，就是在思考午餐要吃什麼、晚餐要吃什麼。經常思考太久接著就餓到變成胃痛，這樣的行為頻繁發生；有時候我也會使用外送 App，結果滑了老半天，又覺得自己出去買很近，食物還不用被加價，最後

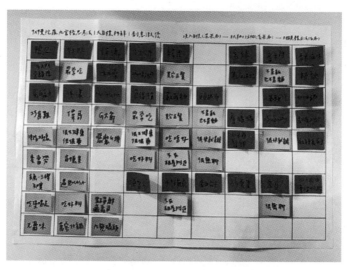

圖表 4-4　三餐吃什麼好

還是決定自己出門買，於是又會陷入不知道要買什麼的窘境，真的是非常浪費時間，也很浪費我一天的決策力。有一天我便突發奇想：九宮格不就是一個能夠幫助我們思考、發想、解決問題的好工具嗎？那我就來用這張 A2 大紙製作一個食物九宮格吧（圖表 4-4）！

當時我的工作一週只需要進辦公室兩天，大部分的時間都是在家，因此這張九宮格就是以我住的地方為中心，整理出我當時仍有興趣吃的食物項目，並以自己的需求去分成 8 大類別：

最常吃

其他正餐

不是飯也不是麵

很快就餓

很無聊

不在租屋附近

吃好料

很不健康但很爽

　　有些格子並沒有填滿，日後若有發掘其他很不錯的食物，我就會再填上去；有些食物往後如果吃膩了，我也會撕掉，替換成其他選擇，用便條紙的好處就是讓我們能夠隨寫、隨撕、隨換。

　　一旦完成了這張食物九宮格，我就可以清楚知道每一次要買午餐、晚餐時，自己有哪些選擇，加上上面的選項都是自己當下還算喜歡、有興趣的食物，因此在選擇上就會變得非常快速且明確（自從有了這張九宮格，我總是可以在一分鐘之內，決定好自己要吃什麼）。九宮格不只能夠應用在很嚴肅、正式的地方，像這樣子超級生活化的方式也都可以。

主題：研究所考試準備

　　如同前言所提到，我曾經有過一個不切實際的夢想，我希望能夠成為一名口譯，大四時曾為了口譯所的考試準備了好長一段時間，但最後都落榜。出社會後有一陣子我很認真在考慮要不要再重新準備一次口譯所的考試，但是在決定以前我想先清楚掌握關於考試的一切，這樣我才能具體知道，如果決定要再考一次，我將面臨怎樣的挑戰。

　　於是我花了好幾天的時間，把網路上找的到的所有相關文章，例如：過去錄取者分享各科準備方法、用來練習的教材、以及各能力訓練方式，全部看過後並把關鍵資訊蒐集到此九宮格；我也從歷屆考題去分析題型，並一個個找到題目的出處來源，這樣我才能具體知道我能從哪些管道、以及找哪些題材作為練習的題目。九宮格完成後，我便能清楚看到，所有我需要做的準備與練習，以及需要培養訓練的能力（因每一格的內容字數過多擺不上來，故以空白呈現）（圖表 4-5）。

　　有了這個九宮格，讓我深刻明白，如果決定要再準備一次口譯所的考試，我恐怕必須離職、並暫停家教、暫停經營把書吃了，暫停行動力子彈筆記本的一切，全心全意專心準

口試：互譯

中文作文

英譯中

口試：互譯

中文作文

英譯中

口試：影外文論句複試內容

口試：影外文論句複試內容

口譯科老考科評備

英文寫作

英文寫作

口試：中英文重述

口試：面試

中譯英

口試：中英文重述

口試：面試

中譯英

圖表 4-5 研究所考試準備

備考試。我看著這個九宮格很認真的思考了好幾天，後來我便決定要永遠放下這個未能實現的夢想，因為這個九宮格讓我領悟到，我已經錯過執行這個目標的最佳時機了。

雖然我最後放棄重考，但我們可以假設一下，如果我當時決定要再準備一次，我會如何藉由這個九宮格來規劃後續的考試準備進度表呢？

因為九宮格上已經完整收納了過去錄取者所建議的各科準備方法與訓練方式等相關重要資訊，因此我會從各科的 8 小格裡，挑選出針對每一個考試科目，我決定在接下來採取的準備方法與訓練方式，並設定好針對各科目每週我必須完成的內容或數量，接著最重要的，我會具體的把「從幾月到幾月」每週的「星期幾」的「幾點到幾點」，我需要完成「哪一科」的「什麼內容和多少內容」清楚列出來。

前面幾個月的準備方向可能會是針對各能力的基礎訓練，中間幾個月可能會提高強度，針對各能力進行進階訓練，而最後幾個月則可能是針對所有科目的整體練習（像是寫歷屆考題），因此在前中後的月份，要練習與準備的內容也可能會不一樣，這些都要在規劃時就清楚定義好，當然後

續也可以再持續的調整進度表的內容，但最好在一開始規劃時，就先把這些事情都一併考量進去。

　　任何屬於大範圍或高難度的考試，都非常適合使用曼陀羅九宮格創意應用 2：蒐集＋視覺化某一特定主題的資訊，來替自己規劃一個完整的準備／訓練計畫，以及一個精準的進度表。

☑ 曼陀羅九宮格創意應用 3：激發思考（大範圍）

主題：鎖定某產品的潛在市場所在

　　我在軟體外商擔任 BD 的期間，當時的工作內容包括領導產品的開發、市場的開發、以及潛在客戶的開發。由於我負責的產品是一個幾乎所有產業皆可以使用的軟體，為了讓自己能夠從幾個明確的大方向，去進行市場與潛在客戶的開發，我便拿出九宮格來幫助自己思考。

　　首先，我列出該產品最具競爭力與差異性的功能與特

點，接著以每一個特點為中心去思考，這些功能與特點，能
夠大大幫助到哪些產業的公司，全部列出來後，我便能從中
挑選出最常出現的產業（也就是在許多方面都能夠大大受益
於該產品的產業），以及我認為最有機會開發成功的產業，
來做為我初步鎖定的開發方向（因無法隨意公開與公司有關
的商業內容，故以空白呈現）（圖表 4-6）。

功能／特點 1

功能／特點 2

功能／特點 3

功能／特點 3

功能／特點 2

功能／特點 1

功能／特點 4

XX產品

功能／特點 8

功能／特點 8

功能／特點 5

功能／特點 6

功能／特點 7

功能／特點 4

功能／特點 6

功能／特點 7

功能／特點 5

☑ 3×3 小九宮格創意應用 1：
將一個抽象想法變具體

　　3×3 小九宮格除了可以針對小目標進行目標拆解具體
化、視覺化之外，它更是一個能夠把抽象想法變具體的超實
用工具。

主題：憤怒管理

　　我一直以來都有一個大缺點，那就是我脾氣不太好，很
容易生氣，我非常不喜歡生氣時的自己，近幾年來我都有在
刻意練習「管理自己的憤怒情緒」這件事，也慢慢的有在改
善與進步。

　　但是憤怒管理其實是一個非常抽象的概念，我一開始
完全不知道可以怎麼做，還因此苦惱了好一陣子。直到有一
天，我靈機一動：我可以借助九宮格的力量呀！於是我開始
思考，究竟該如何讓自己在想要生氣的時候、或者是在生氣
的當下，能夠練習控制自己的情緒，不要用會傷害到別人感
受的口氣說話，或是做出會讓自己後悔的舉動？

　　當時我花了好一些時間，上網找了幾篇在講情緒管理、

憤怒管理的文章來看，也買了幾本相關主題的書籍來閱讀，並且認真且深入的自我分析，找出自己經常易怒的原因，綜合以上，我最後列出了 8 個對我而言最有效的具體方法，來幫助自己練習控制憤怒。

1. 絕對不要在生氣時做出任何行動，一定會後悔。在憤怒頂點那 6 秒，轉移自己的注意力。

2. 對外人需要生氣時，就好好表達，不要拿最親近的人出氣。

3. 早上沐浴在陽光下；運動；親近大自然。

4. 想要生氣前，快速思考：「生氣是否能改變結果？」若否，則練習「選擇」不生氣。

5. 練習轉念：「不過就是…而已」。

6. 生氣時不要說多餘的話，冷靜思考：「我為什麼這麼生氣？」並轉換場所。

7. 把所有要完成的待辦任務、要提醒自己去做的事情，儘快安排到 Action，不要用腦袋記著，很容易讓自己暴躁。

8. 要生氣之前，先想想對方說這句話或做這件事的出發點。

　　完成這個憤怒管理九宮格之後，往後的每一天我沒事就會把它翻來看過一遍自我複習，當然並不是說寫了這個九宮格之後就能立刻改掉自己的壞脾氣，這是不可能的，但是與以往不同的是，我竟然能夠在準備生氣或是正在生氣的當下，想起這 8 個使自己冷靜、滅火的方法，並且試著讓自己在真實的情境中去做練習，每一次的成功滅火，都代表著我正一步步從憤怒的手中，拿回屬於我的情緒掌控權，這並不容易並且需要時間，但是一旦有了九宮格，便可以清楚知道，自己能夠藉由哪些具體的行為來改善這件事情（圖表 4-7）。

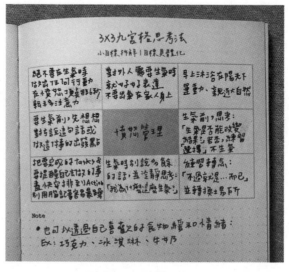

圖表 4-7　憤怒管理

高效小訣竅

　　任何抽象的想法或概念，都可以藉由 3×3 小九宮格來幫助我們把它變具體喔！

☑ 3×3 小九宮格創意應用 2：激發思考（小範圍）

　　當自己需要針對某一件事情、某一個活動、某一個主題，去做發想、或是想要刺激思考，這時候 3×3 小九宮格就是我們的最佳小幫手（圖表 4-8）。

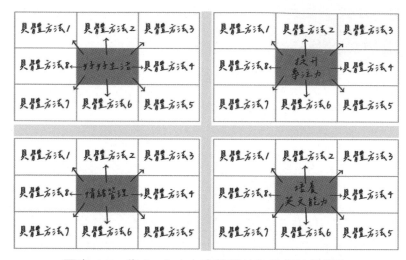

圖表 4-8　靠 3×3 小九宮格把抽象的想法具體化

主題：Action 線上線下活動

　　過去我一直有在思考想要為 Action 舉辦一些線上線下的活動，但因為太過忙碌一直沒有去做，趁著這次的寫書待業期間，剛好可以來好好規劃一下。一開始我還真的沒什麼頭緒，但當我翻開 Action 的九宮格，並把中間的主題寫下來之後，很神奇的我開始有了一些想法，我想這就是九宮格的魔力吧，或許是出自於想要把格子填滿的反射動作，而激發了我們的思考，接著我就在不知不覺當中把外面 8 個格子都寫完了。一旦完成了這個九宮格，我就能夠藉由上面的內

容來去規劃我的下一步（圖表 4-9）。

方式 1	方式 2	方式 3
方式 8	ACTION 線上線下 活動	方式 4
方式 7	方式 6	方式 5

圖表 4-9 Action 線上線下活動

☑ 總結九宮格的創意應用

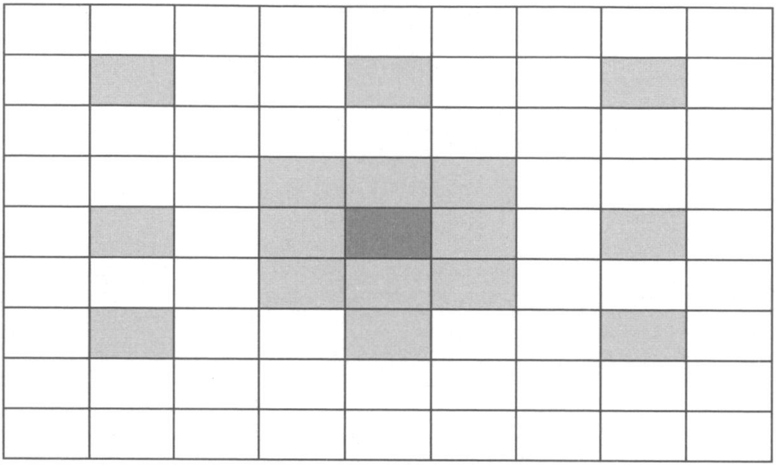

圖表 4-10　曼陀羅九宮格

曼陀羅九宮格創意應用 1：自我提醒的願景圖

曼陀羅九宮格創意應用 2：蒐集＋視覺化某一特定主題的資訊

曼陀羅九宮格創意應用 3：激發思考（大範圍）

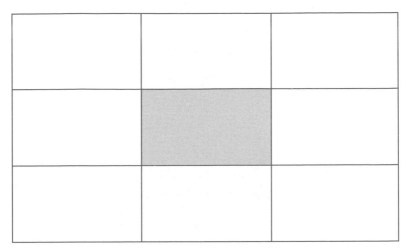

圖表 4-11　　3×3 小九宮格

3×3 小九宮格創意應用 1：將一個抽象想法變具體

3×3 小九宮格創意應用 2：激發思考（小範圍）

　　九宮格可以說是一個能夠應用在各種地方的實用工具，使用上可以是非常專業且深入，也可以是非常生活化，希望在未來的日子，都能夠看到讀者們發揮 Action 的精神，一起創造出屬於自己的九宮格玩法。

結語
不當空想家，也不當空談的人，
而是成為一個實踐者

　　從學生時期到出社會，這些年來，我觀察到在我的周遭，有一種很令人感到惋惜的現象持續在發生：

　　不管是在與朋友的聚會上，或是與粉絲的訊息往來，我經常會聽到對方分享這些振奮人心的想法：「我想要開始計畫去做……事情」、「我接下來想要達成……的目標」、「我希望幾年後可以實現……的夢想」。身為一位好朋友，以及身為一位有一點影響力的 KOL，當對方向我訴說著這一件一件對於他們而言非常重要的事情，我必定是會盡我所能的鼓勵對方並給予協助，我也會與對方交流自己當下正在為哪些目標計畫著，讓對方知道在實踐的這條路上他並不孤單。在每一次的對話結束，我們總是會激勵彼此一起為自己想完成的事情努力。

　　接著一年後、甚至是數年過後，當我與對方再次相見或

是搭上線時，那時的我早已完成了當初設定的目標、實現了先前計畫著要去做的事情，然而，對方卻依然還在說著同樣的話、做著同樣的夢。

在開始撰寫這本書以前，我曾經問了自己這個問題：

假設每位讀者，在閱讀完一本書之後，只能帶走一樣東西，這個東西可以是具體的知識，也能是抽象無形的事物。

那麼，我最希望讀者能從這本書中帶走的一樣東西是什麼？

也就是在一切文字的背後，我想要傳遞給讀者們最重要的核心精神與價值是什麼？

是子彈筆記的概念與方法？還是目標規劃的邏輯與策略？

不，都不是。

我希望大家在閱讀完這本書之後，能夠帶走的一樣最重要的東西，是去「實踐」的勇氣。

我曾經在某一本書看到了這樣一句話：「勇氣來自經驗」，我過去非常喜歡這句話。但現在的我，有了不一樣的

想法，現在的我認為：

　　勇氣來自「相信自己」。

　　與大多數的讀者一樣，在現實生活中，我也是一個普通的平凡人，不管是在工作職場上第一次嘗試挑戰的職位、或是在目標實踐上做著過去從沒做過的事情，每當遇到困難與挫折時，害怕自己會失敗、害怕承擔風險的情緒與壓力總是會襲擊而來，沒有人知道有多少夜晚我是哭著入睡的呀。然而，我與其他平凡人之間唯一的差別就在於，不管我對於未知的結果感到多麼的恐懼與害怕，我仍然會－做出行動，因為，我相信自己會盡一切力量，努力去做到那些我想完成的事情，就算最後真的不幸失敗了，那我也無怨無悔，因為我知道我已經盡了全力。

　　「相信」就是我們最大的力量。

　　因為相信自己、相信一件事情的可能性，因而有了去實踐的勇氣。這樣的勇氣，就是我希望能夠帶給讀者的最重要的事情，因為只有當一個人的內心開始相信自己、並願意做

出行動時，這本書所講述的方法與工具，才能夠真實的為你
帶來巨大的改變。

☑ 每一個選擇決定人生的樣子

在本書的最後，我想要謝謝每一位讀者，用心的把這本
書看完，並且用我的人生座右銘，來為這本書劃下句點：

「你必須先相信那些任何你想做的事，不管是夢想抑或
目標，不論大或小，都是有可能做到的；相信了，就去做，
當一個實踐者；不當空想家，也不當空談的人，一定要成為
一個實踐者。」

一旦你準備好成為一位實踐者，這本書將會成為你最大
的力量。

人生的樣子，都是由自己的每一個選擇所堆砌出來的。
願我們都能夠在生命的最後，毫無懸念的對自己、對世人說：

「我過了一個沒有後悔的人生。因為在人生的每個階段，我知道自己都已經盡了全力去嘗試、去挑戰、去完成那些當下我很想做的事情。」

若讀者購買的是書 +Action 行動子彈筆記本無時效體驗版的套組，此體驗版為無時效之練習本，意指讀者需自行填入當下月份與每一天的日期；若讀者不想要自己填入月份與日期，在把書吃了官網上，會定期販售具有時效性的燙印硬殼精裝 Action 行動力子彈筆記本，上面皆已印好所有的月份與日期，無需自行填入，有需要的讀者可以在日後自行購買來使用，還可以加入專屬的 Action 社群，由我親自帶領大家使用這個工具喔！

另外，若讀者對於好書推薦、書籍精華重點整理這類主題的內容感到興趣，也歡迎讀者追蹤把書吃了的 Instagram 粉專帳號哦，期待與大家在 Instagram 上相見！

不當空想家，也不當空談的人，而是成為一個實踐者

把書吃了！ IG　　　把書吃了！ 官網

翻轉學　翻轉學系列 125

打造理想人生的 Action 行動力子彈筆記
從時間管理到目標實踐，只要認真使用，改變就會發生

作　　　　　者	把書吃了！米雪（楊惟如）
封　面　設　計	Dinner Illustration
內　文　排　版	許貴華
出版二部總編輯	林俊安

出　　版　　者	采實文化事業股份有限公司
業　務　發　行	張世明・林踏欣・林坤蓉・王貞玉
國　際　版　權	施維真・劉靜茹
印　務　採　購	曾玉霞・莊玉鳳
會　計　行　政	李韶婉・許俽瑀・張婕莛
法　律　顧　問	第一國際法律事務所　余淑杏律師
電　子　信　箱	acme@acmebook.com.tw
采　實　官　網	www.acmebook.com.tw
采　實　臉　書	www.facebook.com/acmebook01

I　S　B　N	978-626-349-544-9
定　　　　價	380 元
初　版　一　刷	2024 年 1 月
初　版　二　刷	2024 年 2 月
劃　撥　帳　號	50148859
劃　撥　戶　名	采實文化事業股份有限公司
	104 台北市中山區南京東路二段 95 號 9 樓
	電話：(02)2511-9798
	傳真：(02)2571-3298

國家圖書館出版品預行編目資料

打造理想人生的 Action 行動力子彈筆記：從時間管理到目標實踐，只要認真使用，
改變就會發生 / 把書吃了！米雪（楊惟如）著 – 台北市：采實文化，2024.1
256 面；14.8×21 公分 --（翻轉學系列；125）
ISBN 978-626-349-544-9（平裝）

1.CST：筆記法 2.CST：時間管理 3.CST：職場成功法

019.2　　　　　　　　　　　　　　　　　　　　　　　112020946

采實出版集團
ACME PUBLISHING GROUP